Guide Pratique ECN

LECTURE CRITIQUE D'ARTICLE

ECN

PILON

Ora Levy
68e ECN 2010

BU SANTÉ TOULOUSE 3

Editions **VERNAZOBRES-GREGO**

99, bd de l'Hôpital
75013 Paris
Tel. : 01 44 24 13 61
www.vernazobres-grego.com

Nov. 2010 - ISBN : 978-2-8183-0207-1

A mes parents

A Jonathan, Sasha et Eva

A mes amis et ex-compagnons de galère : Anne, Benjamin, David, Elie, Helena, Mélina, Morgane, Nathaniel, Raphaël

En vrac : à la mob, aux sushis(-maker), aux escarpins, aux galettes de maïs, à Maya, au chat, à ma femme, à Mme de Fontenay

C Méthodologie pratique 76

10 – Vérifier le respect des règles éthiques

11 – Analyser la présentation, la précision et la lisibilité des tableaux et des figures, leur cohérence avec le texte et leur utilité

12 – Vérifier la présence des indices de dispersion permettant d'évaluer la variabilité des mesures et de leurs estimateurs

13 – Discuter la nature et la précision des critères de jugement des résultats

14 – Relever les biais qui ont été discutés. Rechercher d'autres biais d'information et de sélection éventuels non pris en compte dans la discussion et relever leurs conséquences dans l'analyse des résultats

15 – Vérifier la logique de la discussion et sa structure

16 – Reconnaître ce qui relève des données de la littérature et ce qui est opinion personnelle de l'auteur

17 – Discuter la signification statistique des résultats

18 – Discuter la pertinence clinique des résultats

19 – Vérifier que les résultats offrent une réponse à la question annoncée

20 – Vérifier que les conclusions sont justifiées par les résultats

21 – Discuter la ou les applications potentielles proposées par l'étude

22 – Identifier la structure IMRAD (Introduction, Matériel et méthode, Résultats, Discussion) et s'assurer que les divers chapitres de la structure répondent à leurs objectifs respectifs

23 – Faire une analyse critique de la présentation des références

24 – Faire une analyse critique du titre

Bases théoriques

- Devant chaque article, il faut étudier 3 champs complémentaires :

1- La validité interne

- Absence de biais
- Tests adaptés et significatifs
- Résultats issus d'une démarche méthodologiquement valide

2- La cohérence externe

- Résultats confirmés par au moins un autre
- Cohérence avec les données fondamentales

3- La pertinence clinique et capacité d'extrapolation des résultats

- Critère de jugement pertinent et correspondant à l'objectif
- Taille du bénéfice observé cliniquement pertinente
- Définitions de la pathologie et des patients représentatifs de ceux vus en pratique médicale courante.

- Le but de l'exercice de lecture critique et d'évaluer ces 0 paramètres afin d'attribuer à l'article un **degré de confiance** permettant de pratiquer une médecine fondée sur les preuves (**evidence based medecine).**

1- La forme d'un article : structure, contenu, exigences

- Le processus de rédaction d'un article passe par les étapes suivantes :
  - Constatation d'un problème médical
  - Formulation d'une hypothèse de recherche
  - Mise en œuvre d'un protocole d'étude adapté pour répondre à l'hypothèse
  - Recueil et analyse des données
  - Interprétation et discussion des résultats

La forme d'un article scientifique est donc standardisée et découle tout naturellement de ce processus de réflexion :

- **Titre de l'article** : doit être
  - Bref, concis
  - Informatif : maximum d'info dans le minimum de mots
  - Clair
  - Reflète bien l'objectif de l'étude
  - Attractif
  - Mots clés mis en valeur (placés au début et à la fin)
  - Pas de mots creux

- **Corps de l'article : structure IMRaD**
  - I : Introduction :

Doit respecter le principe de « l'entonnoir » en 3 parties :
  - 1- Définition du problème, justification de l'étude
  - 2- Rappel de ce qui est connu
  - 3- Enoncé de l'objectif de l'étude : objectif principal et éventuels objectifs secondaires
  - M : Matériel et méthodes

Comprend :
  - Schéma d'étude, protocole
  - Site d'étude : unique (unicentrique) ou multiples (multicentrique)
  - Population étudiée (population cible et source) : caractéristiques, modalités de recrutement, critères d'exclusion et d'inclusion, effectif, calcul nombre de sujets nécessaires (NSN)

- Critère principal de jugement : doit être défini à priori, précis, validé, admis, consensuel, pertinent, reproductible, unique (ou composite), si possible clinique et objectif
- Eventuels critères de jugement secondaires
- Analyse statistique : adapté au type d'étude, uni ou multivariée
- Respect des règles éthiques

- R : Résultats

Comprend :

- Description population finalement incluse : effectif, caractéristiques, nombre et raisons des perdus de vus ou exclus, écarts au protocole, comparabilité des groupes
- Résultats des questions principale et secondaires : valeur numérique avec OBLIGATOIREMENT paramètres de dispersions et l'évaluation de la précision et signification statistique des résultats (Intervalle de confiance, p…)
- Tableaux et figures : ne doivent pas répéter le texte, clairs, insérés au bon endroit, titre informatif, légende visible, doivent être appelés au moins une fois dans le texte
- PAS de commentaire ni d'interprétation, partie purement descriptive

- D : Discussion et conclusion

Comprend :

- Rappel des principaux résultats MAIS PAS d'apparition de nouveaux résultats, réponse à la question posée
- Limites et biais des résultats
- Discussion sur la signification statistique et clinique des résultats
- Confrontation avec les données de la science et de la littérature
- Discussion sur l'applicabilité des résultats dans la pratique courante et établissement d'éventuelles recommandations
- Conclusion : réponse à la question posée et ouverture éventuelle

- **Références et bibliographie :**

Doivent être dans l'idéal :

- Multiples, récentes
- Scientifiques, validées
- Internationales
- Accessibles
- Pertinentes, dans le contexte

2- Le style d'un article

- Il doit être « **scientifique** », c'est-à-dire :
  - Sobre
  - Clair
  - Concis
  - Temps : harmonisés au passé excepté les vérités générales qui doivent être au présent

1- Introduction

- En fonction de l'objectif de l'étude, les auteurs doivent choisir un schéma (ou protocole) d'étude adapté pour répondre à la question.

- De manière générale on différencie : (cf. figure 1)
  - **Etudes d'évaluation d'un test de dépistage ou diagnostique**
  - **Etudes épidémiologique** : qui peuvent être
    - Purement **descriptive** : qui peuvent être en fonction du mode de recueil de l'information :
      - × **Transversale** : correspond à une photo à un instant t de l'état d'un phénomène de santé, pas de notion suivi
      - × **Longitudinale** : suivi dans le temps d'une cohorte (=groupe) de patients
    - **Explicative** et donc forcément comparative (comparaison de deux groupes de patients)

Dans ce cas là le principe est d'étudier le lien entre un facteur et un phénomène de santé en comparant deux groupes exposés de manière différente au facteur. En fonction du type de facteur, on différencie 2 cadres :

- × Quand l'exposition au facteur n'est pas maîtrisée par l'investigateur, ce sont des études **observationnelles**, par ex : étude du lien entre le tabagisme (facteur) et la survenue d'un cancer du poumon (phénomène de santé). En fonction du mode de recueil de l'information, on distingue les études **prospectives Exposés-non exposés** (suivi dans le temps d'une cohorte de patients) et les études **rétrospectives Cas-Témoins** (recherche d'information dans le passé, pas de notion de suivi)
- × Quand l'exposition est maîtrisée, ce sont des **essais cliniques**, par ex : étude du lien entre la prise d'aspirine (facteur) et le risque de récidive d'un infarctus (phénomène de santé)

2- Schéma récapitulatif des différents types d'études

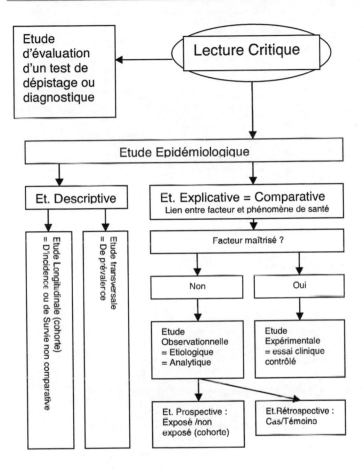

Figure 1 : Les différents types d'Etudes

Et. = étude

3- Exemples de schémas d'étude adaptés en fonction de l'objectif

- Voici quelques exemples de schéma d'étude adapté en fonction de l'objectif :
  - Evaluer la validité d'un test diagnostic : Et. D'évaluation d'un test diagnostic
  - Evaluer l'effet d'une stratégie thérapeutique ou préventive : en 1ère intention Essai clinique, en 2ème intention Et. Cas-témoins
  - Evaluer l'effet d'un facteur de risque : Et. De cohorte Exposés-non exposés, ou cas-témoins, ou descriptive
  - Etudier l'évolution d'une maladie : Et. De facteurs pronostics
  - Evaluer la prévalence d'une maladie : Et. Descriptive transversale
  - Evaluer l'incidence d'une maladie : Et. Descriptive longitudinale

1- Sélection d'une population d'étude : échantillon

- Il est impossible d'étudier de manière exhaustive une population donnée ; il faut donc sélectionner une population restreinte, un échantillon de patients dont les caractéristiques sont similaires à la population réelle (population cible) afin de l'étudier et de pouvoir **extrapoler les résultats** à la population cible.

- Pour juger de l'applicabilité des résultats, les modalités de sélection de l'échantillon doivent être définies précisément au chapitre Méthodes :
  - Critères d'inclusion et d'exclusion
  - Origine des sujets
  - La technique d'obtention de l'échantillon
  - Les éventuelles caractéristiques de la sélection
  - Nombre de sujets nécessaires (NSN) = effectif souhaité (cf. plus loin)

- Au chapitre Résultats on retrouvera les caractéristiques de la population réellement incluse et étudiée : effectif, sexe, âge…

- On distingue 3 niveaux de population :

Population **cible**
= population à laquelle on veut extrapoler les résultats
Ex : nouveaux nés des habitants du Nord de la France

⇩

Population **source**
= population de laquelle on va extraire l'échantillon
Ex : nouveaux nés des maternités publiques du Nord de la France

⇩

Echantillon
= population réellement incluse et étudiée
Ex : 5075 nouveaux nés avec des caractéristiques propres

2- Détermination du nombre de sujets nécessaires (NSN)

- L'effectif de l'échantillon doit être calculé avant le début de l'étude et inscrit au chapitre Méthodes afin de limiter le risque d'avoir un résultat non significatif dû à un manque de puissance (cf. outils statistiques et interprétation pour l'explication des notions de puissance, significativité, risque alpha et beta). Le NSN dépend de plusieurs paramètres :
  - **Le critère principal de jugement** : la différence minimale escomptée entre les 2 groupes
  - Les **risques alpha et beta**
  - La **puissance de l'étude**

Toutes choses étant égales par ailleurs, le NSN augmente quand
  - La taille de l'effet à mettre en évidence diminue
  - La fréquence de base de l'évènement à mettre en évidence diminue
  - La puissance souhaitée de l'étude augmente

Chapitre 5

Hypothèse de départ, notion de risque, de signification statistique et clinique

1- Hypothèse de départ

- Toutes les études explicatives reposent sur le **principe de comparaison** entre 2 groupes à la recherche d'une différence statistiquement significative.

- Un test statistique permet de trancher entre 2 hypothèses :
  - H_0 = **hypothèse nulle** : correspond en général à un statut quo, il n'y a pas de différence significative les deux groupes comparés.
  - H_1 = **hypothèse alternative** : correspond en général à une situation nouvelle où il existe une différence significative, c'est souvent l'hypothèse à démontrer.

Partant de là, on définit plusieurs paramètres :

2- Notion de risque = mauvaise décision

- Les études ne permettent qu'une **estimation** de la réalité à partir de résultats obtenus à l'aide d'un test statistique appliqué sur une population restreinte (l'échantillon). Or, aucun test statistique n'est parfait et il existe un risque d'erreur ; on distingue 2 types de risques :
  - **Risque α** = risque de première espèce = seuil de signification : correspond au risque consenti à priori de conclure à tort à une différence statistiquement significative alors qu'elle est due au hasard, c'est-à-dire accepter H_1 alors qu' H_0 est vraie. Le risque α est en général fixé arbitrairement à 5% et est dû aux **fluctuations d'échantillonnage**.
  - **Risque β** = risque de deuxième espèce : correspond au risque de conclure à tort à une différence non significative alors qu'elle est significative, c'est-à-dire accepter H_0 alors que H_1 est vraie. Le risque β est surtout dû à un **manque de puissance**.

3- Puissance et seuil de confiance = décision correcte

- Parfois, et dans la plupart des cas heureusement, les tests statistiques donnent un résultat conforme à la réalité.
  - **Puissance = 1- β** = correspond à la probabilité de conclure à l'existence d'une différence qui existe dans la réalité, c'est-à-dire accepter H_1 quand cette dernière est vraie. Elle augmente avec le nombre de sujets inclus dans l'étude et est acceptable à partir de 80%. Elle est fixée à priori et peut être recalculée à la fin de l'étude en

fonction du nombre de patients qui ont effectivement participé à l'étude.

- **Seuil de confiance** = correspond à la probabilité de conclure à une absence de différence, en conformité avec la réalité, c'est-à-dire accepter H_0 quand cette dernière est vraie.

Réalité / Conclusion test	H_0 vraie	H_0 fausse = H_1 vraie
Non rejet de H_0	Décision correcte : seuil de confiance	Risque 2ème espèce β
Rejet de H_0 = accepter H_1	Risque 1ère espèce α	Décision correcte : puissance 1- β

Figure 2 : Les paramètres d'un test statistique.

4- Signification statistique

- La signification statistique permet de quantifier la confiance que l'on peut avoir dans les résultats présentés et donc de répondre à la question : la différence observée entre les deux groupes de sujets est elle réelle ou n'est elle que le fait du hasard (= fluctuation d'échantillonnage). Un test de signification statistique doit accompagner le résultat principal de toute étude et doit porter sur le critère principal de jugement (non pas sur de nombreux tests réalisés sur les critères secondaires) et sur la totalité de la population d'étude (non une analyse en sous groupe) .Pour évaluer cette signification statistique on a recours à 2 notions :

  - **p = « petit p » = degré de signification** : correspond au risque connu à postériori de se tromper lorsque l'on conclut à une différence dans un test statistique ; plus p est grand, plus il est probable que la différence observée soit due aux fluctuations d'échantillonnage, par exemple si p = 0,13 il y a 13% de risque que le résultat soit dû à la chance. Le risque d'erreur considéré comme acceptable est le seuil de signification que la communauté scientifique fixe classiquement à 5% (= 0,05). Donc quand :
    - **$p \leq 0,05$** : le résultat est statistiquement significatif, on rejette H_0
    - **$p > 0,05$** : le résultat est non significatif, on conserve H_0
  - **Intervalle de confiance à 95% = IC95%** : dans certains cas on peut aussi utiliser l'IC ; c'est un intervalle composé d'une borne inférieure et d'une borne supérieure entre lesquelles la valeur inconnue du paramètre estimé a la plus grande probabilité de se situer. En général, l'IC est fixé à 95%, c'est-à-dire qu'il y a 95 chances sur 100 que la vraie valeur du paramètre estimé soit comprise dans cet intervalle de valeur. L'IC est avant tout un paramètre permettant d'évaluer la précision d'une estimation (= paramètre de dispersion) : plus il est

étroit, plus l'estimation est précise. Mais dans certains cas il peut aussi servir à évaluer la signification statistique d'un résultat ; quand on évoque les notions de risque relatif, d'odds ratio ou d'efficacité d'un traitement (cf. chapitres Etudes étiologique et Essai thérapeutique) on considère que la valeur 1 correspond à une absence de différence entre les deux groupes, à un statut quo. Donc quand :

- **IC95% ne comprend pas la valeur 1** : le résultat est statistiquement significatif, on rejette H_0. Ex : [1,2 – 3]
- **IC95% comprend la valeur 1** : le résultat est non significatif, on conserve H_0. Ex : [0,8 – 14]

ATTENTION :

- Selon les études la signification statistique sera appréciée par p ou IC95% ou les deux ; dans ce dernier cas les résultats de p et IC95% seront toujours **concordant** (les deux concluront à une signification ou une non signification statistique des résultats)
- **Conclure à une absence de différence statistiquement significative ne correspond pas à conclure à une absence de différence.** Lorsqu'un résultat est non significatif, on ne peut rien conclure et il y a 2 explications possibles : soit il n'existe réellement aucune différence significative entre les 2 groupes, soit il existe en réalité une différence significative mais que l'étude, par manque de puissance, n'a pu mettre en évidence

5- Signification clinique

- La notion de signification clinique correspond à l'importance que peut avoir le résultat pour la pratique clinique :
  - Y a-t-il un bénéfice clinique pour le patient ?
  - A quel type de patient le résultat est-il extrapolable dans la pratique courante ?

- C'est une notion très importante car c'est elle qui aboutit ou non à un **changement de pratique médicale** ; un résultat est cliniquement significatif s'il incite le lecteur à changer sa pratique pour y intégrer l'innovation proposée par l'article.

- Pour déterminer la signification clinique d'un résultat, il faut :
  - **1- Analyser sa signification statistique** :
    - Un résultat statistiquement non significatif n'est jamais cliniquement significatif
    - En revanche une différence statistiquement significative n'est pas nécessairement pertinente cliniquement ; par exemple, si l'étude est réalisée sur un très grand nombre de sujets, de petites différences

peuvent être statistiquement significatives, sans avoir forcément d'importance sur le plan clinique

- **2- Analyser la signification clinique du résultat** : en fonction de :
  - La capacité d'extrapolation des résultats à la pratique courante
  - La pertinence clinique :
    - × La différence observée concerne-t-elle un critère cliniquement pertinent ?
    - × La taille du bénéfice apporté par le traitement est elle suffisamment importante ?
    - × La balance bénéfice/risque est elle acceptable ?
  - La force de l'association démontrée
  - La cohérence externe avec les données de la science et de la littérature

1- Deux types de paramètres

- Il existe 2 types de paramètres statistiques qui sont complémentaires :
  - **Paramètres de position** : ils donnent une estimation d'une valeur réelle, par exemple : la moyenne, la médiane, le risque relatif, un pourcentage. Ils doivent toujours être accompagnés d'un paramètre de dispersion
  - **Paramètres de dispersion** : ils indiquent la précision de l'estimation et donc le degré de confiance qu'on peut lui porter, par exemple : IC95%, écart type

- Exemple : on cherche à déterminer la taille moyenne des hommes français ; pour cela on sélectionne une population de 2000 hommes français que l'on mesure et dont on calcule la taille moyenne qui est de 1,77m. Cette moyenne est un paramètre de position qui ne fait qu'estimer la taille moyenne réelle des hommes mais qui n'est pas la réalité exacte (on n'a pas mesuré toute la population des hommes français de manière exhaustive, on s'est servi d'un échantillon). Pour savoir si cette estimation est précise et proche de la réalité on se sert du paramètre de dispersion, par exemple IC95% = [1,75-1,79] ; là on peut en déduire qu'il y a 95% de chances que la valeur réelle de la taille moyenne des hommes français se trouve dans cet intervalle.

2- Choix du test statistique

- Il existe une multitude de tests statistiques aux noms compliqués que vous verrez utilisés dans les études. Pour un niveau ECN il ne faut pas les connaître tous en détails, mais avoir quelques notions et connaître les principaux.
  - Il faut différencier **2 types de données : qualitative et quantitative**
    - Données qualitatives : ex : présence ou absence d'une maladie, couleur d'un œil.
    - Données quantitatives : ex : taille, dosage d'un marqueur biologique, nombre de récidive
  - Il faut différencier en fonction de la **taille des groupes de patients** :
    - Petits échantillon : effectif < ou = 30
    - Grands échantillons : effectif > 30
  - Il faut différencier **analyse uni et multivariée** : dans les études explicative on cherche à expliquer un facteur quali ou quantitatif (ex :

survenue d'un cancer du poumon) par un ou plusieurs facteurs quali ou quantitatif (ex : exposition au tabac, à l'amiante, âge)

- Une analyse univariée étudie le lien entre le facteur à expliquer et un seul facteur explicatif à la fois (ex : lien entre le cancer du poumon et l'exposition au tabac). Elle est toujours faite en premier en « débrouillage »
- Une analyse multivariée (ou ajustement) étudie le lien entre le facteur à expliquer et l'ensemble des facteurs explicatifs, elle permet de tenir compte de la dépendance des facteurs entre eux et de supprimer l'effet de certains facteurs de confusion (cf. infra : biais). Elle est faite en deuxième et reflète mieux la réalité que l'analyse univariée

- Il faut aussi tenir compte de la présence d'éventuelles **données censurées** : surtout dans les études de survie, elles correspondent aux exclus vivants et perdus de vus

- Pour faire simple :
  - <u>Petits échantillons</u> : Tests spéciaux non paramétriques
  - <u>Grands échantillons</u> (la plupart du temps) :

	Données non censurées	Données censurées
Analyse univariée	- Test du Chi-2 (explication d'un facteur qualitatif par un facteur qualitatif) - Loi de Student (explication d'un facteur qualitatif par un quantitatif) - Régression linéaire simple	- Analyse de survie par la méthode de Kaplan-Meler - Analyse de survie par méthode actuarielle - Test du log Rank
Analyse multivariée	- Régression linéaire multiple (facteur à expliquer quantitatif) - Régression logistique (facteur à expliquer qualitatif)	- Modèle de survie de Cox

- *Définition d'un biais* : Erreur **systématique** (c'est-à-dire non liée au hasard, due au protocole d'étude) qui **fausse les résultats** dans un sens donné. Autrement dit, ce sont des failles dans la sélection des sujets ou le recueil de l'information qui sont à rechercher dans toute étude épidémiologique car ils peuvent entrainer de fausses conclusions. On distingue **3 grandes familles** de biais :

2- Biais de sélection

- *Définition* : biais dans la constitution de l'échantillon, qui va se retrouver non représentatif de la population générale et donc gêner l'extrapolation des résultats

- *Exemples* : surtout retrouvés dans les études cas-témoins
  - Dû à la méthode de constitution des échantillons :
    - Effet travailleur sain
    - Volontariat, auto sélection
    - Témoins hospitaliers
  - Dû à la méthode de collecte des données :
    - Biais d'attrition : non réponse, perdus de vus
    - Biais de survie sélective : fréquence des perdus de vus plus importante chez les exposés à cause des conséquences de la maladie

- *Moyens de lutte contre les biais de sélection* :
  - ne peuvent se faire qu'a PRIORI, dans la conception du protocole d'étude :
    - Vigilance dans la sélection des sujets, dans le choix des témoins
    - Suivi rapproché de sujets aptes à subir ce suivi (pour limiter le biais d'attrition)

2- Biais de classement

Parfois aussi on parle de biais de mesure ou d'information ; mais il vaut mieux parler de biais de classement qui est le terme le plus général et consensuel.

- *Définition* : biais dans la mesure du facteur de risque ou dans la certitude de la maladie ; cette erreur est quasi inévitable puisqu'aucun outil de mesure (interrogatoire, examen, test) n'est parfait. Ce type de biais aboutit à « classer » un patient dans la mauvaise catégorie, ex : patient

classé dans le groupe des non exposés au tabac parce qu'il a honte
d'avouer qu'il fume

- *Exemples* : 3 origines possibles à l'erreur :
  - La personne interrogée :
    - Biais de mémorisation : typique des études rétrospectives, le patient a oublié des informations ou les a retenu erronées
    - Biais de prévarication : biais de réponse socialement acceptable
    - Biais de comportement : typique des études prospectives, le patient va modifier son comportement habituel à cause du suivi mis en place
  - La sensibilisation :
    - De par l'exposition
    - De par la maladie : un patient malade ou exposé va être plus vigilant et signaler tout symptôme
  - Les enquêteurs :
    - Variabilité inter enquêteurs
    - Motivation différente en fonction du statut du patient
    - Procédure de recueil

- *Moyens de lutte contre les biais de classement* .
  - ne peuvent se faire **qu'à PRIORI**, dans la conception du protocole d'étude :
    - Célcotion do sujets aptes à répondre aux questions
    - Standardisation de toutes les mesures effectuées
    - Utilisation de questionnaire testé et validé
    - Etalonnage des appareils de mesure
    - Centralisation des examens paracliniques
    - Formation des enquêteurs.

2- Biais de confusion

- *Définition facteur de confusion :* tiers facteur lié à la fois au facteur d'exposition et à la maladie qui peut entraîner une fausse conclusion : créer de toute pièce une relation causale ou masquer une relation existante. Par exemple, si l'on étudie les facteurs de risque du cancer du poumon, on va trouver que le tabac est un facteur de risque ; or, beaucoup de tabagiques consomment de l'alcool régulièrement, donc on risque de conclure à tort que l'alcool est un facteur de risque de cancer du poumon alors que ce n'est qu'un facteur de confusion. Cette fausse relation disparaît après ajustement par exemple

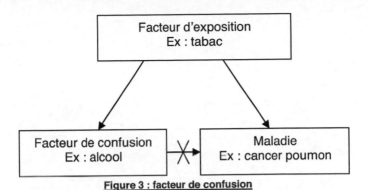

Figure 3 : facteur de confusion

- *Définition biais de confusion :* biais provoqué par un facteur de confusion interagissant avec le facteur de risque étudié dans l'étude du lien entre ce facteur et la maladie.

- *Moyens de lutte contre les biais de confusion :*
  - peuvent se faire A PRIORI, dans la conception du protocole d'étude, ou être corrigés A POSTERIORI.
  - **A PRIORI** :
    - **Appariement** (dans les études cas-témoins et exposés non exposés) : on apparie les sujets d'un groupe à ceux de l'autre groupe. L'appariement peut être :
      - × Individuel (ex : on apparie à un cas un ou plusieurs témoins aux caractéristiques principales identiques : âge sexe…). On peut aller au maximum jusqu'à un appariement 4 pour 1 pour augmenter l'effectif et gagner en puissance, au-delà ça ne sert plus à rien. Il faut faire aussi attention au risque de surappariement ; c'est-à-dire apparier les patients sur des critères qui ne sont pas des facteurs de confusion et donc fausser les résultats.
      - × Par fréquence
      - × Par strates : stratification à priori (ex : on sélectionne le même nombre de cas et de témoins dans la strate d'âge des 20-40 ans pour neutraliser le facteur de confusion âge)
    - **Randomisation** : tirage au sort (dans les essais thérapeutiques) : on fait confiance au hasard pour répartir équitablement les caractéristiques principales des patients
    - **Standardisation** : méthode qui rend artificiellement comparable 2 populations pour 1 ou plusieurs facteurs de confusion

- **A POSTERIORI** :
  - **Ajustement** : par
    - × Modélisation : utilisation d'une analyse multivariée ; méthode la plus courante
    - × Méthode Mantel-Haenzel (personnellement jamais vue dans un article mais traine dans les livres…)
  - **Stratification à postériori** : on doit de méfier des conclusions sur les analyses en sous groupes car lorsque les sous groupes sont constitués à postériori, on perd en puissance (car l'effectif diminue) et on perd la comparabilité des groupes de départ.

POUR TOUTE REPONSE A UNE QUESTION CONCERNANT UN BIAIS :

Il faut l'articuler en 3 parties :

1- Description

2- En déduire le type de biais

3- En conclure les conséquences sur l'interprétation des résultats : effet négligeable ou pas ? En sachant qu'un biais est d'autant plus grave qu'il est différentiel entre les 2 groupes, c'est-à-dire si une différence du protocole d'étude entre les deux groupes fait qu' un seul des deux groupes comporte un biais.

1- Critères de causalité de B.Hill

- Un seul résultat statistiquement significatif en faveur d'un lien entre un facteur et une maladie ne peut suffire pour en conclure une relation de causalité permettant de dire que le facteur cause la maladie. Un résultat statistiquement significatif démontre l'existence d'un lien de façon non certaine car on tolère un risque alpha de 5% d'erreur. Seul un faisceau d'arguments et de données peut affirmer une relation de cause à effet. L'établissement d'une relation causale ne peut être fait que sur une seule enquête et nécessite un ensemble de travaux de recherche et d'études. On cherche alors à remplir les **9 critères de causalités de B.Hill (1965) :**
  - **5 critères caractérisent la nature de l'association entre le facteur d'exposition et la maladie étudiée :**
    - Association forte (risque relatif ou odds ratio élevé)
    - Relation dose-effet (l'augmentation de l'exposition entraine une augmentation de l'effet observé)
    - La cause précède l'effet : séquence temporelle logique
    - Reproductibilité des résultats : association constante et cohérente, quelque soit la population
    - Le facteur d'exposition est spécifique de la maladie

  - **4 critères concernent la mise en perspective des résultats des études épidémiologiques par rapport aux connaissances biologiques :**
    - L'association causale est plausible : cohérente avec l'expérience clinique, les données biologiques et la littérature scientifique
    - L'expérimentation contrôlée animale retrouve les mêmes résultats
    - Les enquêtes d'intervention en population générale renforce le lien causal ; la suppression du facteur de risque entraine une diminution de l'incidence de la maladie (ex : la suppression de l'amiante dans les bâtiments entraine une réduction de l'incidence du cancer du poumon)
    - Distribution et répartition cohérente du facteur et de la maladie dans la population

- SEULE EXCEPTION à cette règle :

  Dans certains cas, un essai thérapeutique contrôlé randomisé de forte puissance (niveau de preuve 1) peut suffire à lui seul à établir un lien de causalité. Mais il vaut mieux manipuler cette notion avec précaution.

1- Guide d'analyse de la littérature et gradation des recommandations : tableaux des niveaux de preuve en fonction du type d'étude

- L'ANAES (ex-HAS) a publié une classification des études épidémiologiques en fonction de leur niveau de preuve (NP). De là on peut en déduire **le degré de confiance** qu'on peut leur accorder et le grade des recommandations qui en découle, et d'où une éventuelle conduite à tenir à suivre. C'est l'aboutissement de l'evidence-based medecine.

- Par exemple si un essai thérapeutique de NP1 trouve que l'administration d'aspirine pendant un infarctus améliore la survie, on doit considérer que c'est une preuve scientifique établie (grade de recommandation A) et ce serait donc une erreur de ne pas l'administrer. En revanche si l'étude est de NP4, le grade de recommandation est C, il y a un faible niveau de preuve scientifique, donc la conduite à tenir est laissée à l'appréciation du clinicien.

Niveau de preuve	Type d'études	Grade des recommandations
Niveau 1	- Essais comparatifs randomisés de forte puissance - Méta-analyse d'essais comparatifs randomisés - Analyse de décision basée sur des études bien menées	A Preuve scientifique établie
Niveau 2	- Essais comparatifs randomisés de faible puissance - Etudes comparatives non randomisées bien menées - Etudes de cohorte	B Présomption scientifique
Niveau 3	- Etudes cas témoins	C Faible niveau de preuve scientifique
Niveau 4	- Etudes comparatives comportant des biais importants - Etudes rétrospectives - Séries de cas - Etudes épidémiologiques descriptives	C
Niveau 5	- Avis d'expert	C

Figure 4 : Guide d'analyse de la littérature et gradation des recommandations.

2- Pour faire simple

- Toute étude, quelque soit son type, comportant des biais importants : NP4
- Essai thérapeutique comparatif randomisé :
  - NP1 : si de forte puissance, c'est-à-dire quasi irréprochable, où les principaux biais sont maîtrisés : effectifs suffisants et méthodologie indiscutable
  - NP2 : si de faible puissance, c'est-à-dire correct mais comportant des biais
- Essai thérapeutique comparatif non randomisée ou étude de cohorte exposés-non exposés :
  - NP2
- Etude cas-témoins :
  - NP3
- Etude descriptive :
  - NP4

1- Les acteurs et leurs devoirs

- Dans l'organisation de toute étude, on identifie 3 acteurs clés aux rôles bien définis :

  - **Le promoteur** : c'est la personne ou organisme qui est à l'origine de l'étude et qui engage sa **responsabilité**. Il doit :
    - Rédiger le protocole de l'étude
    - Souscrire une assurance responsabilité civile
    - Financer l'étude
    - Déclarer l'étude aux **autorités** (AFSSAPS, Ministère de la santé, CPP)
    - Informer le ministère de la santé de tous les effets graves potentiels
    - Informer les investigateurs du résultat d'éventuelles phases précédentes (dans les essais thérapeutiques)

  - **L'investigateur** : c'est un **médecin**, il peut se faire aider par des attachés de recherche clinique. Il doit :
    - Réaliser l'étude : mener à bien l'investigation en respectant le protocole
    - Sélectionner les patients, **informer** les patients et recueillir leur **consentement éclairé ++++** (cf. plus loin)

  - **Le patient** : il doit :
    - Remplir les critères d'inclusion et ne doit pas avoir de critères d'exclusion
    - Se soumettre à un examen
    - Si c'est une étude rémunérée, (essai clinique de phase 1, cf. chapitre essai clinique) ce ne doit pas être sa source principale de revenus et les revenus annuels totaux acquis par participation à des essais cliniques ne doivent pas dépasser un plafond
    - **N'EST PAS OBLIGE de terminer l'étude !** (consentement révocable)

2- Lois et textes encadrant la recherche clinique

- **Loi Huriet Sérusclat révisée (Code de santé publique) +++ :**
  - Loi relative à la protection des personnes qui se prêtent à des recherches biomédicales
  - Elle précise les conditions qui permettent d'effectuer des recherches biomédicales ; les conditions sont :
    - La recherche doit être menée par un médecin ayant suffisamment d'expérience
    - Le consentement éclairé du patient doit être recueilli
    - Un promoteur et un investigateur-coordonateur doivent être désignés
    - L'autorisation du Comité de Protection des Personnes et de l'autorité compétente doit être recueillie
- **Loi informatique et liberté**
- **Loi relative au traitement des données nominatives dans le domaine de la recherche dans la santé**
- **Lois de Bioéthique de 2004**
- **Code de déontologie médicale et les 4 principes d'éthique clinique : bienfaisance, non malfaisance, justice, liberté**

3- Les autorisations indispensables pour réaliser l'étude

- Pour tout type d'étude :
  - **L'AFSSAPS :** elle fait **autorité,** elle autorise le début d'une étude
  - **Le Comité de Protection des Personnes (CPP)** (anciennement appelé CCPRB) :
    - Il donne un avis **consultatif** éthique qui peut être : favorable, avec réserves ou défavorable. L'avis favorable est obligatoire pour débuter l'étude.
    - Il est composé de 12 membres : 2/3 sont des professionnels de santé et 1/3 sont des personnes qualifiées dans le domaine social, psychologique, éthique, ou juridique.
    - Il a 3 missions :
      - × Juger la qualité et la justification scientifique du projet (pertinence, adéquation entre objectif et protocole)
      - × Juger si les droits des personnes sont garantis (information, consentement)
      - × Juge de l'aspect éthique de l'étude
  - **Souscription d'une assurance responsabilité civile** par le promoteur

- **Autorisation de chaque patient participant à l'étude :
  information et recueil de son consentement éclairé +++ notion
  très importante**
  - Avant de s'engager dans une étude clinique, le patient doit recevoir
    une **information très codifiée** : elle doit
    - ✗ Obligatoirement être délivrée par un **médecin** (investigateur
      ou attaché de recherche clinique)
    - ✗ Etre **claire, loyale et appropriée**, adaptée au niveau de
      compréhension du patient, orale puis consignée par écrit
    - ✗ Porter sur : l'objectif de l'étude, la méthodologie, la durée,
      les bénéfices et risques encourus, les avantages et
      inconvénients de la participation à l'étude, l'avis du CPP sur
      l'étude, et surtout la possibilité de refuser la participation ou
      d'arrêter l'étude à TOUT MOMENT, sans conditions et
      sans conséquences sur la poursuite des soins : c'est le
      caractère **REVOCABLE** du consentement.
  - A la fin de cette information orale, une consignation écrite doit être
    faite, c'est le **consentement éclairé** :
    - ✗ C'est un document **écrit, exprès et signé** par le patient à
      conserver dans le dossier du patient (et celui-ci en garde un
      double)
    - ✗ Il doit être éclairé, c'est-à-dire après information claire loyale
      et appropriée du patient par les médecins, et doit en
      récapituler par écrit les points clés : risques encourus,
      avantages, inconvénient, caractère révocable du
      consentement... Il doit aussi spécifier que c'est dans le
      cadre d'une étude de recherche clinique soumise à la loi
      Huriet-Serusclat

- Pour les études nécessitant un traitement nominatif des données, il y a
  en plus la nécessité d'un accord du :
  - Comité Consultatif de Traitement de l'Information en matière de
    Recherche dans le domaine de la Santé : CCTIRS
  - Comité National Informatique et Liberté : CNIL

4- Comment critiquer un article du point de vue éthique et légal ?

- Il est nécessaire que les auteurs, dans la partie Méthodes, fassent **au
  moins une fois allusion** au consentement, à la loi Huriet, à l'avis du
  CPP ou d'un comité d'éthique. La totalité des obligations juridiques ne
  figure que très rarement dans l'article donc il ne faut pas lyncher l'article
  si vous ne les trouvez pas toutes mais simplement signaler celles qui
  manquent. En revanche au moins une phrase est exigible et l'article doit
  être critiqué si elle n'y est pas

- Par ailleurs, utilisez votre **bon sens** : si à la lecture de l'article vous avez envie de crier à l'injustice pour un des groupes de patients, c'est qu'en général que vous êtes dans le vrai et qu'il y a une faille éthique dans cette étude

Particularités liées au type d'étude

Chapitre à bien connaître +++ car se prête très bien aux épreuves de LCA

1- Vocabulaire, définitions

- **Essai clinique**

Étude expérimentale mise en place pour comparer un nouveau traitement au traitement de référence quand il existe, ou à *un placebo*. Le traitement peut être curatif (le plus souvent) ou préventif. Dans cette définition, le mot : «Traitement» peut également s'entendre au sens de stratégie thérapeutique.

- **Essai thérapeutique**

Essai permettant l'évaluation d'un candidat médicament chez l'Homme.

- **Critère de jugement**

Critère qui permet de mesurer l'effet du traitement dans un essai thérapeutique ou la survenue d'un événement dans une étude épidémiologique. L'idéal est d'avoir un seul critère de jugement, dit «critère de jugement principal».

- **Multicentrique (essai)**

Qualifie un essai ou une étude se déroulant dans plusieurs centres à la fois, pour, le plus souvent, augmenter le nombre de patients à inclure dans l'essai. Les essais multicentriques sont intéressants à réaliser lorsque la fréquence de la maladie est faible. Lors de l'analyse des résultats, il faut tenir compte de l'effet-centre (malgré un protocole commun, il est possible que les patients pris en charge diffèrent légèrement d'un centre à l'autre).

- **Placebo**

Substance biologiquement inactive donnée en lieu et place d'un médicament.

- **Effet *placebo***

Effet positif de la prise d'un médicament qui n'est pas lié aux propriétés physico-chimiques de la molécule, mais au fait même que l'on prend un traitement (effet psychologique).

- **Essai contrôlé**

Essai dans lequel il y a un groupe considéré comme témoin et un groupe de sujets traités.

- **Groupe contrôle (groupe témoin)**

Groupe qui reçoit le médicament de référence ou le *placebo,* par opposition au groupe qui reçoit le nouveau médicament dans un essai thérapeutique contrôlé.

- **Double placebo**

Dans un essai thérapeutique au cours duquel deux médicaments comparés il est idéal qu'ils soient identiques sur le plan galénique et sur celui du mode d'administration (posologie). Quand ce n'est pas possible, il faut prévoir que les patients recevant A prennent aussi un *placebo* de B ; et que les patients recevant B prennent aussi un *Placebo* de A.

- **Insu**

Dans un essai thérapeutique, fait de ne pas savoir lequel des traitements est donné. *Syn.* Aveugle.

- **Clause d'ignorance**

Fait de ne pas révéler à un patient le médicament qu'il va recevoir dans un essai thérapeutique, et pour un médecin qui inclut un patient dans un essai, de ne pas savoir quel traitement ce patient va recevoir. Sinon, l'inclusion des patients dans l'essai risque d'être influencée par la conviction intime du médecin de l'efficacité de l'un ou l'autre traitement réellement efficace. Le tirage au sort respecte la clause d'ignorance.

- **Essai en double aveugle**

Essai au cours duquel, ni le patient, ni le médecin ne connaissent le traitement pris. Cela permet d'éliminer l'effet *placebo* chez le patient et les biais de mesure liés à la subjectivité du médecin. Dans l'essai en triple aveugle, le chercheur qui analyse les résultats ne sait pas quel groupe de patients a reçu quel type de traitement.

- **Essai en simple aveugle**

Essai au cours duquel le patient ne connaît pas le traitement qu'il reçoit. Le médecin connaît le traitement que chaque patient reçoit. Cela permet normalement de neutraliser les effets *placebo* et *nocebo*.
Syn. : essai en simple insu.

- **Essai ouvert**

Essai thérapeutique souvent mené sur un petit groupe de sujets, parfois comparatif, où le patient et le médecin connaissent le traitement pris. Il permet d'étudier la faisabilité d'un essai comparatif à plus grande échelle.

- **Randomisation**

Tirage au sort des patients permettant une répartition au hasard, aléatoire, des patients dans deux ou plusieurs groupes.

- **Aléatoire**

Dont la survenue dépend du hasard. La répartition aléatoire d'un traitement ou d'une action fait confiance au hasard. On admet que les groupes de sujets tirés au sort sont comparables pour tous les facteurs connus ou inconnus, qui pourraient influencer sur le critère que l'on mesure. Souvent, cette hypothèse de comparabilité des groupes est vérifiée numériquement lors de l'analyse des résultats.

- **Clause d'ambivalence**

Tout patient inclus dans un essai thérapeutique doit pouvoir recevoir n'importe lequel de traitements étudiés, et donc n'avoir aucune contre-indication à aucun des traitements.

- **Cohorte de sujets**

Groupe de personnes suivies dans le temps de manière prospective, ayant en commun d'avoir subis un évènement semblable.

2- Les différentes phases des essais cliniques

- **PHASE PRECLINIQUE** :

  - **Expérimentation in vitro**
  - **Expérimentation animale**

- **PHASE CLINIQUE : sur l'Homme**

  - **Essai de phase 1** :
    - Sur un petit nombre de volontaires sains (sauf en cancérologie : sujets malades et en échec de traitement)
    - Peut être rémunéré
    - Buts :
      - × Etude de pharmacocinétique
      - × Etude de tolérance
      - × Déterminer la dose maximale tolérée
      - × Déterminer la dose qui sera administrée en phase 2

- **Essai de phase 2 :**
  - Sur un petit nombre de volontaires malades et homogènes
  - Buts :
    - × Etude d'efficacité pharmacologique (pharmacodynamique)
    - × Déterminer la dose/posologie optimale
    - × Déterminer la dose qui sera administrée en phase 3

- **Essai de phase 3 :**
  - Essais thérapeutique **comparatif, contrôlé**
  - Buts :
    - × Etude d'efficacité thérapeutique d'un médicament
    - × Obtention de l'Autorisation de Mise sur le Marché (AMM)
    - × Déterminer la dose pour laquelle le rapport efficacité/tolérance est le meilleur
    - × Définir le schéma posologique

- **Essai de phase 4 post AMM :**
  - Dans les conditions habituelles d'emploi du médicament
  - Buts :
    - × Etude de pharmacovigilance : recensement des effets indésirables et interactions médicamenteuses
    - × Essai comparatif pour glissement d'AMM : précise la place du médicament dans la stratégie thérapeutique

3- Objectifs d'un essai clinique

- Un essai clinique est une étude expérimentale visant à préciser les effets d'un nouveau traitement sur une maladie définie. Dans cette définition, le mot : «traitement» peut également s'entendre au sens de stratégie thérapeutique. Le traitement peut être curatif (le plus souvent) ou préventif.

- L'objectif est de comparer un nouveau traitement au traitement de référence quand il existe, ou à *un placebo*. Pour tester l'efficacité d'un traitement il est indispensable d'utiliser le **principe de comparaison** entre 2 groupes (on parle **d'essai contrôlé**) car une amélioration avant-après d'une maladie peut être due à une multitude d'autre choses que l'efficacité intrinsèque du traitement :
- Evolution naturelle de la maladie
- Effet placebo
- Phénomène de régression vers la moyenne
- Hasard
- Facteurs extérieurs

- Le nouveau traitement (TN) est donc comparé à :
  - **Un traitement de référence (TR)** pour la maladie
    - S'il en existe un

OU

  - **Un traitement placebo (TP)**
    - S'il n'existe pas de traitement de référence

- **ATTENTION** : il n'est pas éthique de comparer le nouveau traitement à un placebo lorsqu'il existe un traitement de référence !!! On peut le tolérer uniquement dans 2 cas particuliers :
  - Quand la pathologie étudiée est bénigne

OU

  - Quand il n'existe pas d'autre moyen d'évaluer une thérapeutique pour des raisons méthodologiques impérieuse et scientifiquement valides

- On peut formuler deux hypothèses de départ correspondant à 2 types d'essai clinique :
  - **Essai d'efficacité** : l'objectif est de montrer que le nouveau traitement à une efficacité supérieure au traitement de référence ou au placebo. Le plus souvent ce sont des essais versus placebo.
    - Hypothèse de départ :
      - × Il existe une différence d'efficacité statistiquement significative entre TN et TR ou TP où efficacité TN > efficacité TR ou TP

OU

  - **Essai d'équivalence** : l'objectif est de montrer que le nouveau traitement est au moins aussi efficace que le traitement de référence ; et de façon logique on ne fait pas ce genre d'essai versus placebo. La méthodologie est différente des essais classiques dits « essais d'efficacité ». Les essais d'équivalence nécessitent des hypothèses et des tests statistiques particuliers
    - Hypothèse de départ :
      - × 1- On s'accorde sur le choix d'une petite différence ε
      - × 2- On postule qu'une différence d'efficacité < ε serait négligeable
      - × 3- L'objectif est alors de montrer que la différence d'efficacité entre TN et TR est < ε donc négligeable.

- **REMARQUE :**

J'attire votre attention sur la différence fondamentale qu'il existe entre les essais d'efficacité et les essais d'équivalence ; ils sont méthodologiquement très différents et quand un essai d'efficacité ne retrouve pas de différence statistiquement significative d'efficacité entre 2 traitements, on ne peut pas

en conclure qu'ils sont équivalents parce que ce n'était ni l'hypothèse de départ ni la méthodologie adaptée. C'est malheureusement ce que les auteurs peu scrupuleux d'un mauvais article vont essayer de vous faire croire... Donc soyez vigilants.

4- Matériels et méthodes, schéma d'étude

Ce sont toujours des études prospective, de cohorte et comparative.

- **Sélection d'un échantillon :**
  - Elle se fait comme pour toute étude en 3 étapes : choix d'une population cible puis source puis constitution de l'échantillon avec des critères d'inclusion et d'exclusion précis

- **Détermination d'un critère de jugement principal :**
  - Il doit être : précis, validé, admis, consensuel, pertinent, reproductible, unique (ou composite), si possible clinique et objectif

- **Calcul du NSN** en tenant compte que plus la différence attendue est petite plus le NSN doit être élevé, sinon l'étude risque de manquer de puissance et ne pas réussir à montrer une différence, même si elle existe.

- **Choisir le protocole d'étude** :
  - Dans tous les cas on réalise des essais contrôlés où l'on compare l'efficacité du TN versus TP ou TR. Il y a donc toujours attribution de traitement et analyse de résultat chez 2 groupes de patients.
  - 2 types de plans expérimentaux sont alors possibles :
    - **Plan en groupes parallèles :**
      - × Deux groupes de patients sont suivis en parallèle (sur la même période) au cours d'un essai thérapeutique contrôlé. Il existe toujours deux groupes au minimum : le groupe qui reçoit le TN et le groupe qui reçoit le TR ou le TP
      - × C'est le plan le plus souvent utilisé
      - × La randomisation (cf. plus loin) détermine alors le groupe auquel le patient va appartenir et donc son traitement
    - **Plan croisé : en cross over**
      - × Essai thérapeutique où le sujet est pris comme son propre témoin. Un groupe de patients reçoit le TN puis le TP ou TR, l'autre groupe de patients reçoit le TP ou TR puis le TN
      - × Ce plan présente 2 intérêts :
        - ✓ Le NSN diminue parce que chaque patient va être son témoin, il y a donc besoin d'un moins grand nombre de patients différents et la période de recrutement diminue

      ✓   La variabilité inter sujet diminue car la variabilité intra individuelle (cad chez un même sujet) est toujours plus faible que la variabilité interindividuelle (cad chez 2 sujets distincts) ce qui permet une meilleure comparabilité des groupes.

× Il y a cependant 2 limites :

      ✓   Ce type de plan ne peut être réalisé que si la maladie étudiée est stable dans le temps. Ce plan n'est pas valable pour les maladies évoluant par poussée.

      ✓   Il faut respecter une période de "Wash-out" entre les 2 traitements pour laisser le temps à l'organisme du patient d'éliminer le premier traitement.

× La randomisation détermine Ici la séquence (ou ordre de prise) des traitements pour chacun des groupes

Plan groupes parallèles :

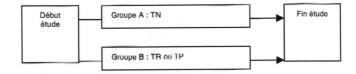

Plan croisé :

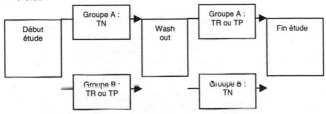

Figure 5 : 2 types de plans expérimentaux

- **Attribution du traitement, randomisation : garantit la comparabilité initiale des groupes.**

  - La randomisation est le tirage au sort des patients permettant une répartition au hasard, aléatoire, des patients dans deux ou plusieurs groupes. Au niveau d'un essai clinique c'est **la seule méthode** éthiquement et scientifiquement acceptable pour déterminer le

traitement de chaque patient inclus car c'est la seule méthode qui garantit la comparabilité initiale des groupes (on fait confiance au hasard pour répartir équitablement les caractéristiques des patients entre les deux groupes). Chaque personne doit avoir la même probabilité de recevoir l'un ou l'autre des traitements, c'est la **clause d'ambivalence.**

- Il existe plusieurs techniques de randomisation :
  - Tirage au sort
  - Pseudo tirage au sort (utilisation du chiffre du jour de naissance ou du numéro de dossier...)
  - Tirage au sort centralisé : recommandé +++. Un centre indépendant souvent accessible 24/24 après avoir vérifié le respect des critères d'inclusion et d'exclusion, transmet à l'investigateur le résultat du tirage au sort
  - Randomisation stratifiée : les patients sont divisés en sous groupes (sur l'âge par exemple) et ensuite randomisés dans chacun des sous groupes
  - Tables de nombre au hasard : système informatique avec création d'une série de chiffre au hasard.

- **Procédure d'aveugle (insu) : garantit le maintien de la comparabilité des groupes en cours d'essai.**
  - L'insu est dans un essai thérapeutique, le fait de ne pas savoir lequel des traitements est donné. *Syn.* Aveugle. C'est une notion capitale pour un essai clinique de qualité car la connaissance du traitement reçu peut avoir des conséquences :
    - **Sur le malade par autosuggestion :**
      - × Modifie son comportement
      - × Modifie son observance
      - × Fausse son jugement sue les effets ressentis
    - **Sur l'équipe soignante :** cela influe sur
      - × La qualité des soins
      - × L'écoute et les conseils donnés
      - × Le dépistage et la surveillance des effets indésirables
      - × L'évaluation d'un traitement
  - Au mieux, l'essai sera donc en **double aveugle** : ni le patient, ni le médecin ne connaissent le traitement pris. Cela permet d'éliminer l'effet *placebo* chez le patient et les biais de mesure liés à la subjectivité du médecin. Dans l'essai en triple aveugle, le chercheur qui analyse les résultats ne sait pas quel groupe de patients a reçu quel type de traitement.
  - Lorsque le double aveugle n'est pas réalisable, il sera en **simple aveugle** : le patient ne connaît pas le traitement qu'il reçoit. Le médecin connaît le traitement que chaque patient reçoit. Cela permet

normalement de neutraliser les effets *placebo* et *nocebo*. Dans ce cas là il est souhaitable que l'évaluation de l'efficacité du traitement soit faite par une tierce personne qui ignore les traitements reçus.

- Les **essais ouverts**, où le patient et le médecin connaissent le traitement pris, sont réservés à des petits groupes de sujets dans le but d'étudier la faisabilité d'un essai comparatif à plus grande échelle.

- Pour maintenir l'aveugle, on doit rendre la présentation, la galénique et l'administration des deux traitements similaires (lorsque cela est techniquement et éthiquement possible) et donc on a parfois recours à la technique du **double placebo** : les patients recevant A prennent aussi un placebo de B ; et que les patients recevant B prennent aussi un placebo de A.

- **REMARQUE** : certaines mentions évoquent une méthodologie rigoureuse :
  - La garantie que l'essai a été conduit dans le respect des bonnes pratiques cliniques
  - L'existence d'un comité indépendant de validation des évènements

5- Résultats

Dans le chapitre Résultats, doivent figurer :

- **L'étude de la comparabilité des groupes :**
  - La comparabilité des groupes est l'un des critères de qualité dans les essais cliniques. C'est une condition nécessaire pour que seul le traitement influence le critère de jugement et que les changements observés soient imputables à la nouvelle thérapeutique testée. La randomisation permet, en théorie, de constituer des groupes comparables.
  - Mais même si l'on utilise une technique de randomisation, le hasard ne fait pas toujours bien les choses et les 2 groupes peuvent avoir des caractéristiques trop différentes et donc ne pas être comparables. Il est donc souhaitable de comparer les caractéristiques principales (ex : moyenne d'âge, sex-ratio...) des deux groupes après leur constitution à l'aide d'un test statistique. Ce résultat est en général présenté sous forme d'un tableau où figure le degré de signification p correspondant au test statistique comparant les deux groupes pour chaque critère. Par exemple, on pourra alors s'apercevoir que un des groupes est significativement plus âgé que l'autre et donc que cela risque de biaiser les résultats.

Caractéristiques	Groupe A	Groupe B	p
Moyenne d'âge	45,6 ans	53,9 ans	0,03
Pourcentage d'hommes	54%	55%	0,15

p<0,05 donc différence d'âge statistiquement significative

Figure 6: Exemple de tableau étudiant la comparabilité des groupes

- **Le diagramme de flux :**
  - Il participe à la transparence et la clarté de l'étude, il fournit sous forme graphique les effectifs des patients :
    - Présélectionnés
    - Randomisés
    - Evalués
    - Ecarts au protocole : inclusion à tort, données manquantes, mauvaise observance, arrêt prématurés des traitements, perdus de vue

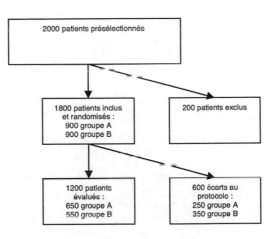

Figure 7 : Exemple de diagramme de flux

- **L'analyse du résultat principal :**
  - Pour analyser les résultats de l'objectif principal, il existe deux grands types d'analyse qui diffère par leurs modalités, avantages, inconvénients et indications :

	Analyse en **intention de traiter (ITT)**	Analyse **per protocole**
Définition	- Méthode qui consiste à analyser les données de **TOUT patient inclus**, quelque soit les écarts au protocole, et ce dans le « bras » (groupe de tirage au sort) dans lequel il a été randomisé au début de l'étude	- Méthode qui consiste à analyser **UNIQUEMENT** les données des patients sans écarts majeurs au protocole. Elle se fait donc sur une sous population des patients inclus et non sur la totalité
Effet et conséquence de ce type d'analyse	- Tendance à sous estimer une différence d'efficacité entre 2 médicaments. - C'est la seule analyse non biaisée et qui assure la comparabilité des groupes car tout sujet randomisé est analysé	- Analyse qui se rapproche le plus des conditions réelles d'utilisation du médicament - En revanche la comparabilité des groupes n'est plus assurée car on compare des groupes remaniés après randomisation
Quand utiliser ce type d'analyse ?	- Dans les **essais d'efficacité +++**, car il faut se placer dans les conditions les plus difficiles pour objectiver une différence d'efficacité, ce qui est le cas dans l'Itt (elle sous estime les différences).	- Dans les **essais d'équivalence +++**, car il faut se placer dans les conditions les plus difficiles pour objectiver une absence de différence d'efficacité, ce qui est le cas dans la per protocole (à la différence de l'Itt qui sous estime les différences et donc sur estime les équivalences) - Une ITT peut être réalisée dans un second temps pour redresser la comparabilité des groupes

Figure 8 : Tableau comparatif de l'analyse en intention de traiter et per protocole

- Comme tout résultat d'étude la signification statistique du résultat doit apparaître.

- **Analyse des résultats secondaires :**
  - Répond aux mêmes règles que celles du résultat principal

- **Analyse par sous groupes :**
  - Analyse qui, à partir des données initiales globales, permet de mettre en avant la différence de traitement entre divers sous-groupes au cours d'un essai thérapeutique.
  - **Attention!** Si l'analyse par sous-groupe semble attrayante, elle peut être erronée si elle n'a pas été prévue explicitement au départ dans le protocole et si l'étude ne conclut pas positivement sur le critère principal. En effet, même s'il n'existe pas de différence entre deux traitements, on pourra très souvent trouver un sous-groupe particulier où une différence est significative.

- **Cas particulier : Analyse intermédiaire :**
  - Analyse effectuée soit sur une seule partie des patients, soit sur une durée d'observation plus courte. Elle est réalisée le plus souvent lorsque l'étude est longue et/ou que la différence d'efficacité du traitement risque d'être précoce et importante, il ne serait alors pas éthique de ne pas en faire bénéficier les deux groupes.
  - Elle doit être **prévue** dans le protocole, et le nombre de sujets nécessaires prend en compte le nombre d''analyses intermédiaires qui sont prévues. Pour chaque analyse intermédiaire, un seuil de signification doit être choisi et abaissé au dessous de 5% pour pénaliser le médicament testé.

6- Discussion, interprétation des résultats et conclusion

- Discussion sur **les biais** de l'étude et leurs conséquences (cf. partie A, chapitre 7)

- Interprétation de la signification statistique puis clinique du **résultat principal** (cf. partie A, chapitre 5, paragraphe 4 et 5) et conclusion avec réponse à la question posée et éventuelle conduite à tenir en pratique.

- Interprétation des résultats d'analyse par **sous groupes** et des résultats **secondaires** :
  - **Attention,** aucune conclusion ne peut être tirée sur ces résultats, on peut seulement suspecter des tendances et proposer la réalisation d'autres études qui auront pour objectif principal de vérifier ces hypothèses.

1- Vocabulaire, quelques définitions

- **Cohorte de sujets :**

Groupe de personnes suivies dans le temps de manière prospective, ayant en commun d'avoir subis un évènement semblable.

- **Enquête de cohorte :**

Enquête prospective dans laquelle on suit l'évolution de sujets dont on a relevé initialement l'exposition à des facteurs pour lesquels on veut étudier l'effet sur la santé.

- **Prospectif :**

Qualifie une enquête dont le suivi se fait postérieurement à l'enregistrement de l'exposition au facteur de risque.

- **Étude épidémiologique prospective :**

Étude épidémiologique au cours de laquelle le recueil d'informations concernant les participants porte sur des évènements postérieurs au début de l'enquête et sur l'inclusion des participants.

- **Enquête exposés, non exposés :**

Enquête prospective dans laquelle on suit un groupe de sujets exposés à un facteur de risque et un groupe de sujets non exposés.

- **Évènement :**

Situation qui survient au cours de l'étude : guérison, aggravation de la maladie (décompensation, hémorragie, etc.), rechute, décès

- **Facteur d'exposition :**

Fait d'être exposé à un facteur (par exemple, exposé à l'amiante, exposé aux colorants etc.).

- **Facteur de risque :**

Facteur augmentant ou diminuant le risque de maladie. Si le risque diminue, on parle de facteur protecteur.

- **Incidence (taux d')** :

Fréquence des cas nouveaux dans une période de temps donnée.

- **Risque relatif (RR)** :

C'est un indicateur qui mesure l'association entre un facteur d'exposition et un événement (survenu d'une maladie, décès, etc.)

Sur un tableau de contingence, on peut définir :

	Malades (M+)	Non malades (M-)	
Exposés (E)	a	b	a+b
Non exposés (NE)	c	d	c+d
	a+c	b+d	

Incidence chez les exposés : $I E = a / (a + b)$

Incidence chez les non exposés : $I NE = c / (c + d)$

La quantité $I E / I NE$ est appelée : « risque relatif RR ».

Les exposés ont RR fois plus de risques de développer la maladie que les non exposés. Un risque relatif supérieur à un signifie que l'exposition augmente le risque (facteur de risque), un risque inférieur à un signifie que l'exposition diminue le risque (facteur protecteur).

- **Prévalence** :

Nombre de personnes égal à la proportion de malades M à un instant t.

2- Objectifs

- **Les études explicatives analytiques (E-nonE et Cas-T)** :
  - Elles ont pour but d'étudier le **lien** entre :
    - Un **facteur d'exposition (FE)** : (ex : tabac) dont l'exposition n'est pas maîtrisée par l'investigateur, à la différence des essais cliniques où la prise du médicament est déterminée par l'investigateur
    - Et **une maladie (M)**
    - Afin de déterminer l'influence du FE sur la M : est-il un facteur de risque (FdR) ou un facteur protecteur (FP) pour cette maladie ?
  - Ces études reposent sur le principe fondamental de la **comparaison** entre 2 groupes de patients.
  - Elles sont en général motivées par une hypothèse physiopathologique ou des études préalables non concluantes sur le sujet (descriptive ou analytiques de mauvaise qualité). La séquence habituelle est de

réaliser en premier une étude Cas-T, plus rapide et moins couteuse, puis une étude E-nonE pour confirmer les résultats.

- **Les études exposés-non exposés :**
  - Ce sont des études :
    - **Explicatives analytiques**
    - **Prospective** (Étude épidémiologique au cours de laquelle le recueil d'informations concernant les participants porte sur des évènements postérieurs au début de l'enquête et sur l'inclusion des participants)
    - **De cohorte** (Enquête prospective dans laquelle on suit l'évolution de sujets dont on a relevé initialement l'exposition à des facteurs pour lesquels on veut étudier l'effet sur la santé)
    - Ayant pour but de **comparer l'incidence** (Fréquence des cas nouveaux dans une période de temps donnée) de la M entre 2 groupes de patients : l'un exposé et l'autre non exposé à un FE ; ceci permettant le calcul d'un risque relatif (RR) (cf. plus loin)
  - Ces études peuvent permettre d'étudier l'influence d'un seul FE sur une plusieurs M

3- Matériel et méthodes, schéma d'étude

- **Sélection d'une population d'étude, échantillon :**
  - Il faut sélectionner :
    - Uniquement des **sujets NON malades** (et donc s'assurer de l'absence de la maladie au moment du début de l'étude)
    - Répartis en **deux groupes comparables** (mêmes critères d'inclusion et d'exclusion, même caractéristiques générales), et ne différant que sur un point : leur exposition au FE étudié (il faut donc s'assurer de l'exposition ou de la non exposition de chacun des patients) :
      - × un groupe est **exposé** au FE étudié
      - × et l'autre strictement **non exposé**

- **Méthode de recueil de l'information :**
  - Une fois les 2 groupes constitués, les patients inclus vont être **suivis dans le temps (cohorte prospective)** et des informations vont être recueillies tout au long de la période d'étude
  - L'information principale recherchée est l'**apparition de nouveaux cas de la maladie**, c'est-à-dire l'incidence de la maladie dans les deux groupes. Il faut donc en fonction de la définition précise de la maladie, répéter dans le temps les examens cliniques et/ou paracliniques nécessaire pour poser un diagnostic de certitude de la M.

- Le mode de recueil de l'information est toujours prospectif, c'est-à-dire postérieure à l'enregistrement de l'exposition au facteur de risque, mais on distingue 2 types de cohorte :
    - **Cohorte classique** : le début de l'étude (inclusion) correspond au début du suivi
    - **Cohorte historique (= prospective dans le passé)** : l'étude utilise des informations recueillies dans le passé, antérieures à l'inclusion, mais les analyse selon une séquence chronologique prospective (ex : on utilise des dossiers de patients préexistant dans lesquels on recherche les informations utiles : notion d'exposition ou non au FE et notion de diagnostic de la M).
        - × Avantages : plus rapide et moins couteux que la cohorte classique, permet aussi le calcul d'incidence et de RR, adaptée aux maladies avec une longue phase de latence (permet de raccourcir la durée d'étude)
        - × Inconvénients : information moins fiable, les niveaux d'exposition ne sont pas toujours connus

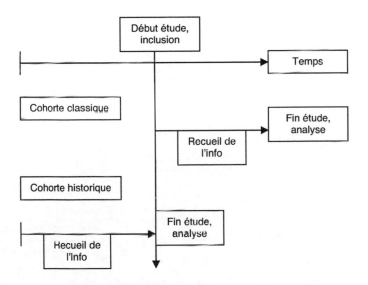

Figure 9 : Séquence temporelle dans les 2 types de cohorte

- **REMARQUE :** dans la partie matériel et méthodes, des notions précises doivent apparaître clairement :

- La définition de l'exposition et de la non exposition
- La définition de la maladie avec son critère de jugement principal
- Le mode de recueil de l'information
- La durée et la fréquence du suivi et des examens

4- Résultats

- Le but des études E-nonE est de mesurer **l'incidence** de la maladie respectivement dans les 2 groupes de patients afin de calculer leur rapport qui correspond au **risque relatif RR**.

- Le RR est un indicateur qui mesure l'association entre un facteur d'exposition et un événement (survenu d'une maladie, décès, etc.)

- Sur un **tableau de contingence**, on peut définir :

	Malades (M+)	Non malades (M-)	
Exposés (E)	a	b	a+b
Non exposés (NE)	c	d	c+d
	a+c	b+d	

- Incidence chez les exposés : I E = a / (a + b)
- Incidence chez les non exposés : I NE = c / (c + d)

- La quantité I E / I NE

= [a / (a+b)] / [c / (c+d)]

= rapport des incidences

=« risque relatif RR ».

- La signification statistique du RR doit toujours être précisée (par IC95%) car elle est indispensable à l'interprétation du résultat.

- Dans les études E-nonE, on peut aussi calculer un Odd Ratio (OR) (cf. études Cas-T) mais il est préférable de se servir du RR.

- **Première étape : s'interroger sur la signification statistique du résultat,** un RR est accompagné de son IC95% :
  - Si IC **comprend la valeur 1** : résultat statistiquement non significatif : on ne peut rien conclure
  - Si IC ne **comprend pas la valeur 1** : résultat statistiquement significatif et on s'intéresse alors à la valeur du RR.

- **Deuxième étape : interpréter la valeur du RR :**
  - Si **RR > 1** : le FE est un **facteur de risque** (l'exposition augmente le risque) pour la maladie et les exposés ont RR fois plus de risques de développer la maladie que les non exposés
  - SI **RR < 1** : le FE est un **facteur protecteur** (l'exposition diminue le risque) pour la maladie
  - Si **RR = 1** : le FE est un **facteur neutre**, il ne joue aucun rôle sur la maladie

- **Troisième étape : discuter les biais et leurs conséquences éventuelles**

- **Quatrième étape : conclure sur la signification clinique des résultats**

- **REMARQUE :** dans ce type d'étude, on fait souvent en premier une **analyse univariée** puis une **analyse multivariée** pour neutraliser les facteurs de confusion. Cette dernière est la plus fiable et correspond au résultat principal de l'étude ; elle est souvent faite par ajustement et le résultat s'exprime par un **OR ajusté** (OR aj) mais qui s'interprète comme un RR.

Question très classique dans les épreuves+++, à savoir par cœur

	Exposés-non exposés	Cas-témoins
Avantages	- Large éventail d'investigations possibles - Biais moins nombreux - Possibilité de calculer des incidences et donc un RR : meilleur estimation du risque que l'OR - Possibilité d'étudier plusieurs maladies	- Durée : courte - Organisation : aisée - Peu couteuse - Utilisable pour les maladies rares et/ou avec un long temps de latence - Possibilité d'étudier plusieurs FE
Inconvénients	- Durée : longue - Organisation : lourde - Coût élevé - Peu performante pour les maladies rares - Difficultés à suivre les sujets dans le temps ; principal biais : perdus de vus - Ne permet l'étude que d'un seul facteur d'exposition	- Qualité aléatoire du recueil d'information à postériori - Biais plus nombreux ; principal biais : mémorisation - Difficulté de choisir des témoins adéquats - Impossibilité de calculer des incidences et un RR : moins bonne estimation du risque - Ne permet l'étude que d'une seule maladie

Figure 10 : Tableau comparatif des avantages et inconvénients des études E-nonE et Cas-T

Chapitre 3

Etude explicative analytique rétrospective : Cas-Témoins

1- Vocabulaire, quelques définitions

- **Évènement :**
Situation qui survient au cours de l'étude : guérison, aggravation de la maladie (décompensation, hémorragie, etc.), rechute, décès.

- **Facteur d'exposition :**
Fait d'être exposé à un facteur (par exemple, exposé à l'amiante, exposé aux colorants etc.).

- **Facteur de risque :**
Facteur augmentant ou diminuant le risque de maladie. Si le risque diminue, on parle de facteur protecteur.

- **Apparier (former des paires)**
Rendre comparables deux groupes en termes de facteurs de confusion potentiels. Pour chaque cas (exemple : un malade), on associe un ou plusieurs témoins qui lui sont similaires pour un ou plusieurs facteurs (exemple : âge, sexe, niveau socio-économique).

- **Prévalence :**
Nombre de personnes égal à la proportion de malades M à un instant t.

- **Rétrospectif :**
Qualifie un intérêt pour le passé des sujets participant l'enquête. On part à la recherche du temps passé.

- **Enquête (ou étude) Cas-Témoin :**
Enquête rétrospective dans laquelle on interroge comparativement des malades (cas) et des non malades (témoins) sur leurs expositions dans le passé à des facteurs de risque. Les liens entre expositions et maladies (la mesure du risque de survenue de la maladie lié à l'exposition) sont résumés par des *odds ratios* et leurs intervalles de confiance.

- **Odds ratio *rapport de cotes* :**

Rapport de deux *odds* : celui estimé chez les exposés sur celui estimé chez les non exposés.

	Malades (M+)	Non malades (M-)	
Exposés (E)	a	b	a+b
Non exposés (NE)	c	d	c+d
	a+c	b+d	

Le rapport *(a x d) / (b x c) = odds ratio* (OR).

Si la prévalence est faible, OR est un bon estimateur du risque relatif RR.

La valeur de l'OR doit s'interpréter avec son intervalle de confiance ou la valeur du test du Chi-2 calculée sur le tableau.

2- Objectifs

- **Les études explicatives analytiques (E-nonF et Cas-T) :**
  - Elles ont pour but d'étudier le **lien** entre :
    - un **facteur d'exposition (FE)** : (ex : tabac) dont l'exposition n'est pas maîtrisée par l'investigateur, à la différence des essais cliniques où la prise du médicament est déterminée par l'investigateur
    - et **une maladie (M)**
    - afin de déterminer l'influence du FE sur la M : est-il un facteur de risque (FdR) ou un facteur protecteur (FP) pour cette maladie ?
  - Ces études reposent sur le principe fondamental de la **comparaison** entre 2 groupes de patients.
  - Elles sont en générales motivées par une hypothèse physiopathologique ou des études préalables non concluantes sur le sujet (descriptive ou analytiques de mauvaise qualité). La séquence habituelle est de réaliser en premier une étude Cas-T, plus rapide et moins couteuse, puis une étude E-nonE pour confirmer les résultats.

- **Les études cas-témoins:**
  - Ce sont des études :
    - **Explicatives analytiques**
    - **Rétrospective** (Étude épidémiologique au cours de laquelle la recherche d'informations se fait dans le passé des sujets participant l'enquête. On part à la recherche du temps passé.)

- Ayant pour but de **comparer la fréquence d'exposition à un FE** entre 2 groupes de sujets :
  - × L'un composé de **cas : sujets malades**, atteint de la maladie étudiée
  - × L'autre composé de **témoins : sujets sains**, indemnes de cette maladie.
  - Ceci permettant de calculer un **Odds ratio (OR)** (cf. plus loin)
- Ces études peuvent permettre d'étudier l'influence de plusieurs FE sur une seule M.
- Ces études ne permettent ni de calculer des incidences (et donc un RR), ni d'établir un lien de causalité.

3- Matériel et méthodes, schéma d'étude

- **Sélection d'une population d'étude, échantillon :**
  - Il faut sélectionner deux groupes de patients :
    - Tout d'abord un groupe de sujets malades, atteints de la maladie étudiée : **les cas**
    - Puis il faut **apparier** aux cas un groupe de sujets sains, indemnes de la maladie étudiée : **les témoins**
  - Le but est d'avoir des témoins le plus possible comparables aux cas, différents uniquement sur le statut vis-à-vis de la maladie.
  - Pour augmenter l'effectif de l'échantillon et donc la puissance de l'étude il est fréquent d'apparier plusieurs témoins à un seul cas, au maximum 4 pour 1, au-delà c'est inutile il n'y a plus de gain de puissance et risque de sur-appariement.
  - Les cas sont en général issus de **registres médicaux** (de service hospitalier en rapport avec la pathologie, d'association de malades...) ; les témoins eux peuvent être issus de **sources variées** : témoins hospitaliers (hospitalisé mais pas pour la même pathologie), volontaires sains, registre administratif de la mairie...
  - Les études Cas-T comportent souvent beaucoup de biais, surtout dû à l'étape de recrutement des témoins qui, si elle est mal faite peut introduire des biais de sélection et de confusion.

- **Méthode de recueil de l'information :**
  - Une fois les 2 groupes constitués, les patients inclus **ne sont pas suivis dans le temps, l'information va être recherchée dans leur passé** : c'est un mode de recueil rétrospectif.
  - L'information principale recherchée est **l'exposition antérieure au FE** à la fois chez les cas et chez les témoins dans le but de savoir les cas ont plus souvent été exposés à ce FE que les témoins, ce qui ferait du FE un FdR de la maladie.

- Pour rechercher cette information dans le passé l'investigateur utilise :
  - **Soit une trace écrite** : dossier médical par exemple : le plus fiable
  - **Soit, le plus souvent un interrogatoire du patient** sur ses antécédents et expositions passées ; inutile de préciser à quel point cette méthode est subjective et peu fiable car bourrée de biais d'information par biais de mémorisation. Il y a cependant des précautions qui permettent de limiter les biais :
    - × Utilisation d'un **questionnaire : validé** (= reconnu, prouvé), **standardisé** (= le même pour tous) et **fiable** (= capacité à reproduire le même résultat dans les mêmes conditions d'utilisation)
    - × Passation du questionnaire lors d'un **entretien** avec le patient (mieux que le téléphone), par des **enquêteurs** (hétéro-questionnaire mieux auto-questionnaire) formés.

- **REMARQUE :** dans la partie matériel et méthodes, des notions précises doivent apparaître clairement :
  - La définition des cas, avec définition précise de la maladie
  - La définition des témoins, avec définition précise de l'état indemne
  - Le mode de recrutement des cas et des témoins
  - La méthode d'appariement, les échecs et difficultés d'appariement : preuve de qualité et de bonne foi
  - La méthode de recueil de l'information : questionnaire ? enquêteurs ?

4- Résultats

- Dans les études Cas-T, du fait de leur caractère rétrospectif il est impossible de mesurer des incidences et donc de calculer le RR.

- Le but des études Cas-T est de rechercher dans le passé si les cas ont plus souvent été exposés aux FE que les témoins et à partir de là calculer l'OR.

- L'**OR** est une bonne approximation du RR quand la **maladie étudiée est rare : prévalence < 5% de la population générale.**

- Pour calculer l'OR, il faut d'abord établir un tableau de contingence comme suit :

	Malades (M+)	Non malades (M-)	
Exposés (E)	a	b	a+b
Non exposés (NE)	c	d	c+d
	a+c	b+d	

- L'OR se définit par le rapport de 2 « odds » : celui estimé chez les exposés sur celui estimé chez les non exposés :
- **OR = rapport** *(a x d) / (b x c)*

- La valeur de l'OR doit s'interpréter **avec son intervalle de confiance** ou la valeur du test du Chi-2 calculée sur le tableau.

5- Interprétation des résultats

- <u>**Première étape : s'interroger sur la signification statistique du résultat,**</u> un OR est accompagné de son IC95% :
  - Si IC **comprend la valeur 1** : résultat statistiquement non significatif : on ne peut rien conclure
  - Si IC ne **comprend pas la valeur 1** : résultat statistiquement significatif et on s'intéresse alors à la valeur de l'OR.

- <u>**Deuxième étape : interpréter la valeur de l'OR :**</u> (idem que RR)
  - Si **OR > 1** : le FE est un **facteur de risque** (l'exposition augmente le risque) pour la maladie et les exposés ont OR fois plus de risques de développer la maladie que les non exposés
  - Si **OR < 1** : le FE est un **facteur protecteur** (l'exposition diminue le risque) pour la maladie
  - Si **OR = 1** : le FE est un **facteur neutre**, il ne joue aucun rôle sur la maladie

- <u>**Troisième étape : discuter les biais et leurs conséquences éventuelles**</u>

- <u>**Quatrième étape : conclure sur la signification clinique des résultats**</u>

- **Attention :**
  - Les études cas témoins ont 3 principales limites :
    - Impossibilité de calculer un RR, l'OR n'est qu'une estimation
    - Caractère rétrospectif empêche l'établissement d'un lien de causalité entre le facteur de risque et la maladie (cf. critères de B.Hill)
    - Type d'étude très sujette aux biais (biais de mémorisation+++)
  - Le tout confère aux études Cas-T leur **faible niveau de preuve** : NP3 dans le meilleur des cas, NP4 si beaucoup de biais. Ceci amenant souvent à la réalisation d'autres études sur le sujet avec un meilleur NP : études prospectives analytiques ou expérimentales si possible.

6- Avantages et inconvénients des études E-nonE versus Cas-T

Question très classique dans les épreuves+++, à savoir par cœur

	Exposés-non exposés	Cas-témoins
Avantages	- Large éventail d'investigations possibles - Biais moins nombreux - Possibilité de calculer des incidences et donc un RR : meilleur estimation du risque que l'OR - Possibilité d'étudier plusieurs maladies	- Durée : courte - Organisation : aisée - Peu couteuse - Utilisable pour les maladies rares et/ou avec un long temps de latence - Possibilité d'étudier plusieurs FE
Inconvénients	- Durée : longue - Organisation : lourde - Coût élevé - Peu performante pour les maladies rares - Difficultés à suivre les sujets dans le temps ; principal biais : perdus de vus - Ne permet l'étude que d'un seul facteur d'exposition	- Qualité aléatoire du recueil d'information à postériori - Biais plus nombreux ; principal biais : mémorisation - Difficulté de choisir des témoins adéquats - Impossibilité de calculer des incidences et un RR : moins bonne estimation du risque - Ne permet l'étude que d'une seule maladie

Figure 10 : Tableau comparatif des avantages et inconvénients des études E-nonE et Cas-T

Chapitre 4

Etude descriptive de prévalence et d'incidence

1- Vocabulaire, quelques définitions

- **Enquête longitudinale :**

Enquête au cours de laquelle des informations sont recueillies de façon longitudinale, c'est-à-dire tout au long de l'étude. La durée de l'étude est définie et peut être assez longue (plusieurs années). Elle peut être prospective ou rétrospective.

- **Enquête transversale :**

Enquête qui consiste à recueillir simultanément ou quasi simultanément les données relatives à la maladie et aux facteurs de risques étudiés.

- **Incidence (taux d') :**

Fréquence des cas nouveaux dans une période de temps donnée.

- **Prévalence :**

Nombre de personnes égal à la proportion de malades M à un instant t.

- **Densité d'Incidence :**

Nombre de nouveaux cas d'une maladie, survenus au cours d'une période donnée, rapporté au nombre d'unités personne-temps exposées au risque dans la population.

2- Objectifs

- **L'objectif principal** des études épidémiologiques descriptive est de :
  - Définir la fréquence et la distribution des pathologies, facteurs de risque et problèmes médico-sociaux dans une population donnée.

- Ce travail peut se faire de **2 façons** :
  - **Longitudinale** : (= enquête au cours de laquelle des informations sont recueillies de façon longitudinale, c'est-à-dire tout au long de l'étude)
    - Ce sont des études **d'incidence** car adaptée pour mesurer des incidences (= fréquence des cas nouveaux dans une période de temps donnée)

- Elles se font en suivant dans le temps une **cohorte** prospective ou rétrospective de sujets
- **Transversale** : (= enquête qui consiste à recueillir simultanément ou quasi simultanément les données relatives à la maladie et aux facteurs de risques étudiés)
  - Ce sont des études de **prévalence** car adaptées pour mesurer des prévalences (= nombre de personnes égal à la proportion de malades M à un instant t)
  - Il n'y a pas de suivi dans le temps, c'est une **photo à un instant** t d'un phénomène de santé donné

- **Les études descriptives**
  - **Permettent aussi** :
    - La comparaison géographique et/ou temporelle lorsque l'étude est répétée à des lieux et/ou moments différents
    - De poser les jalons pour la formulation d'hypothèses étiologiques (à vérifier par la suite par une étude explicative)
  - **Ne permettent pas de** :
    - Faire une analyse
    - De comparer
    - D'établir une relation de causalité

3- Matériel et méthodes, schéma d'étude

- **Mode de recueil de l'information :**
  - L'investigation est menée dans un hôpital, au sein d'une collectivité ou en population générale
  - La méthode la plus utilisée est le **questionnaire** où sont relevés le nombre de cas de maladies et les caractéristiques principales des malades (démographiques, familiales, facteurs de risque, traitement ...)
  - D'autres modalités d'enquêtes sont possibles : auto-questionnaire par voie postale, entretien téléphonique, exploitation de registres de morbidité ou de mortalité...

- **Critères de jugement :**
  - Leur définition doit être connue avec précision, en s'assurant que les auteurs les utilisant parlent bien de la même chose. Pour préciser l'importance d'un phénomène, on peut utiliser des :
    - chiffres bruts : **effectifs**
    - ou des **quotients** : proportions, ratios, taux

- **Les indicateurs de santé les plus utilisés** sont :
  - **Les indicateurs de mortalité :**
    - **Taux brut de mortalité annuelle :**

= rapport (nombre de décès toutes causes dans une population donnée en un an) / (effectif moyen de cette population pour l'année considérée)

    - **Taux de mortalité par âge et/ou sexe :**

= rapport (nombre de décès dans une tranche d'âge ou un sexe donnée en un an) / (effectif moyen de cette tranche d'âge ou de sexe pour l'année considérée)

    - **Taux de mortalité par cause :**

= rapport (nombre de décès dû à une cause donnée en un an) / (effectif moyen de la population susceptible de décéder de cette cause pour l'année considérée)

Par exemple, si on parle de mortalité par cancer de la prostate on ne compte pas les femmes au dénominateur.

  - **Les indicateurs de morbidité :**
    - **Prévalence à un instant t P(t)** : intéressant pour les maladies chroniques

P(t) = rapport (nb de personnes malades à l'instant t dans une population donnée) / (effectif de la population à cet instant t)

    - **Taux brut d'incidence I :**

I = rapport (nb de nouveaux cas d'une maladie pendant une période d'observation) / (nb de non malades en début de période)

4- Analyse des résultats

- Il existe **deux grands types d'analyse** dans les études descriptives :
  - Soit **la précision d'une moyenne ou d'un pourcentage** à l'aide d'un IC95%
  - Soit la **comparaison de moyennes ou de pourcentages** entre 2 populations : calcul de l'écart réduit (les détails technique de cette analyse sont inutile à connaître pour un niveau ecn)

NB : en cas de comparaison, l'étude revêt une dimension analytique comparative, ce n'est donc plus une étude descriptive pure

1- Présentation des études de survie

- Elles sont un **cas particulier**, ce n'est pas un type d'étude à part entière, leur point commun est :
  - L'utilisation comme **critère de jugement principal** de la survenue
    - D'un **décès** ou
    - D'un évènement de santé particulier : **qualitatif, binaire et non récurrent** (ex : apparition d'une surdité, d'une métastase, récidive d'un cancer...)

2- Vocabulaire, quelques définitions

- **Survie [Comparaison de deux courbes de survie (Test du logrank)]** :

C'est le test le plus courant permettant la comparaison de deux courbes de survie.

- **Survie (Courbe de)** :

Représentation graphique d'un taux de survie en fonction du temps. On rencontre principalement :

- **Les courbes de survie de *Kaplan-Meier*,** avec un aspect en marches d'escalier de hauteurs inégales, où chaque événement, où plusieurs événements simultanés, représentent la verticale d'une marche (la hauteur de la marche étant proportionnelle au nombre d'événements survenus) ;

- **Les courbes de *survie actuarielle*,** avec un aspect de courbe formée de segments de droite reliant des points situés à intervalles réguliers au cours du temps (semaines, mois, etc.).

L'utilisation de ces méthodes suppose que le risque de décès soit constant pendant toute la durée de l'étude.

La notion de survie est extensible à tout événement qualitatif binaire non récurent autre que le décès : on peut citer, en cancérologie, l'apparition d'une récidive ou l'apparition d'une métastase.

- **Survie (date d'origine)** :

La date d'origine, dans une étude de survie, représente pour chaque patient sa date d'entrée dans l'étude, par exemple la date de diagnostic anatomo-pathologique de son cancer.

- **Survie (date des dernières nouvelles) :**

La date des dernières nouvelles, dans une étude de survie, représente pour chaque patient, soit la date de survenue de l'événement (décès par exemple), soit la dernière date pour laquelle on dispose de renseignements concernant un patient en vie (si l'événement étudié est le décès)

- **Survie (délai ou temps de participation) :**

Le délai de participation, dans une étude de survie, représente le délai entre la date des dernières nouvelles et la date d'origine.

- **Survie (Médiane de) :**

Délai de survie pour lequel on observe une mortalité de 50 % de la population de sujets inclus dans l'étude.

- **Survie (recul) :**

Le recul d'un patient, dans une étude de survie, représente le délai écoulé entre la date d'origine et la date de point. Les reculs minimum et maximum d'une série de sujets participant à une étude définissent donc «l'ancienneté» de la série.

- **Survie (sujet censuré) :**

Un sujet est dit censuré à droite, dans deux situations de mécanismes différents :

- Lorsqu'il est considéré comme *perdu de vue*, si on ne connaît pas son état à la date de point, mais si on sait qu'il était encore vivant à une date antérieure, définie comme date des dernières nouvelles,

- Lorsqu'il est considéré comme *exclu-vivant,* c'est-à-dire lorsqu'on dispose de son état (vivant ou mort) à une date des dernières nouvelles, postérieure à la date choisie comme date de point. Dans ce cas, sa participation à l'étude ne sera étudiée qu'entre sa date d'origine et la date de point.

- **Survie (Taux de survie à cinq ans) :**

Indicateur largement utilisé en cancérologie, indiquant le taux de survie cinq ans après le diagnostic initial.

3- Objectifs

- Ce type d'étude est d'utilisation large ; l'objectif peut être
  - **Simplement descriptif** pour le groupe de sujets étudiés :
    - On est alors dans le cadre des études descriptives pures ; on parle d'étude de **survie non comparative**
  - **Ou analytique** :
    - Etude de **facteurs pronostic** d'une maladie

- Ou étude comparative dans le cadre des **études exposés-non exposés**

4- Matériels et méthodes, schéma d'étude

- **La méthodologie dépend de l'objectif** ; globalement le schéma d'étude sera :
  - Celui des études descriptives longitudinale si l'objectif est purement descriptif
  - Celui des études exposés-non exposés si l'objectif est analytique

5- Résultats

- Il existe 2 méthodes principales d'analyse des courbes de survie :
  - **Méthode de Kaplan-Meier** : la plus utilisée
    - Premièrement il faut classer les sujets par ordre croissant de temps de participation
    - Deuxièmement on construit une courbe avec un aspect en marches d'escalier de hauteurs inégales, où chaque événement, où plusieurs événements simultanés, représentent la verticale d'une marche (la hauteur de la marche étant proportionnelle au nombre d'événements survenus)

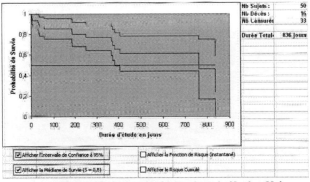

Figure 11 : exemple de courbes de Kaplan-Meir

- **Les courbes de survie actuarielle** :
  - Avec un aspect de courbe formée de segments de droite reliant des points situés à intervalles réguliers au cours du temps (semaines, mois, etc.).

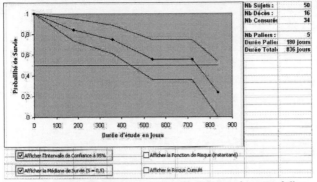

Figure 12 : exemple de courbes de survie actuarielle

- L'utilisation de ces méthodes suppose que le risque de décès soit constant pendant toute la durée de l'étude.

1- Vocabulaire, quelques définitions

- **Gold Standard :**

Test diagnostique qu'on utilise comme référence (même si aucun test n'est parfait). Dans une démarche diagnostique, c'est l'examen que l'on considère comme donnant la meilleure certitude diagnostique.

- **Sensibilité :**

Probabilité que le test soit positif (T+) si on est malade.

	Malades (M+)	Non malades (M-)	
Test positif (T+)	Vrais positifs (VP)	Faux positifs (FP)	Nb T+
Test négatif (T-)	Faux négatifs (FN)	Vrais négatifs (VN)	Nb T-
	Nb M+	Nb M-	

Sensibilité (Se) = rapport VP / (VP + FN)

- **Spécificité :**

Probabilité que le test soit négatif (T-) si on n'est pas malade.

	Malades (M+)	Non malades (M-)	
Test positif (T+)	Vrais positifs (VP)	Faux positifs (FP)	Nb T+
Test négatif (T-)	Faux négatifs (FN)	Vrais négatifs (VN)	Nb T-
	Nb M+	Nb M-	

Spécificité (Sp) = rapport VN / (VN + FP)

- **Valeur prédictive négative :**

Probabilité de n'être pas malade (M-) si le test est négatif (T-).

	Malades (M+)	Non malades (M-)	
Test positif (T+)	Vrais positifs (VP)	Faux positifs (FP)	Nb T+
Test négatif (T-)	Faux négatifs (FN)	Vrais négatifs (VN)	Nb T-
	Nb M+	Nb M-	

Valeur prédictive négative = VPN = rapport VN / (VN + FN)

- **Valeur prédictive positive :**

Probabilité d'être malade (M+) si le test est positif (T+).

	Malades (M+)	Non malades (M-)	
Test positif (T+)	Vrais positifs (VP)	Faux positifs (FP)	Nb T+
Test négatif (T-)	Faux négatifs (FN)	Vrais négatifs (VN)	Nb T-
	Nb M+	Nb M-	

Valeur prédictive positive = VPP = rapport VP / (VP + FP)

- **Validité :**

Capacité d'un test à donner la réponse appropriée à la question posée.
Cela suppose qu'elle doit être précise et exacte.

2- Objectifs

- Ces études ont pour but d'identifier si un test diagnostic (ou une stratégie diagnostique) est performant dans le diagnostic ou le dépistage d'une maladie donnée.

- La qualité d'un outil diagnostic doit être jugée sur 2 aspects complémentaires :
  - Sa **fiabilité** et
  - Sa **validité**

3- Evaluation de la fiabilité d'un test

- **Définition :**
  - La fiabilité est la capacité d'un test à donner les mêmes résultats quelque soit les conditions d'application.

- **Méthode d'évaluation de la fiabilité :**
  - Elle consiste à évaluer la **reproductibilité** des résultats du test en répétant la mesure
    - Plusieurs fois chez le même sujet
    - Et en faisant varier l'observateur
  - Ceci permet d'évaluer la **concordance** des résultats du test. Cette concordance est quantifiée par des **coefficients** :
    - Coefficient Kappa (K) pour les mesures qualitatives
    - Coefficient de corrélation intra-classe (R) pour les mesures quantitatives
  - Ces coefficients s'interprètent de la même manière : leur valeur est comprise dans l'intervalle [-1 ; +1]
    - La valeur **+1** signifie que **l'accord maximal** est atteint entre les mesures du test
    - La valeur **0** signifie une **indépendance** des mesures du test
    - La valeur **-1** signifie un **désaccord total** entre les mesures du test
  - NB : un accord entre 2 mesures peut être due au hasard, il est donc nécessaire d'avoir un degré de signification statistique p associé au coefficient pour savoir si le résultat est statistiquement significatif ou pas.

4- Etude de la validité d'un test

- **Définition :**
  - La validité d'un test est sa capacité à donner la réponse appropriée à la question posée (= capacité à bien mesurer ce qu'il est censé mesurer) et à varier avec ce qu'il mesure).
  - Cette validité est appréciée par les caractéristiques du test
    - Ses **caractéristiques intrinsèques**, c'est-à-dire qu'elles ne dépendent que du test et pas de la prévalence de la maladie :
      - **Sensibilité (Se)**, probabilité que le test soit positif (T+) si on est malade, = rapport VP / (VP + FN)
      - **Spécificité (Sp)**, probabilité que le test soit négatif (T-) si on n'est pas malade, = rapport VN / (VN + FP)
    - Ses **caractéristiques extrinsèques**, c'est-à-dire que leurs valeurs varient en fonction de la prévalence de la maladie :
      - **Valeur prédictive positive (VPP)**, probabilité d'être malade (M+) si le test est positif (T+), rapport VP / (VP + FP), sa valeur augmente quand la prévalence augmente
      - **Valeur prédictive négative (VPN)**, probabilité de n'être pas malade (M-) si le test est négatif (T-), = rapport VN / (VN + FN), sa valeur diminue quand la prévalence diminue augmente

	Malades (M+)	Non malades (M-)	
Test positif (T+)	Vrais positifs (VP)	Faux positifs (FP)	Nb T+
Test négatif (T-)	Faux négatifs (FN)	Vrais négatifs (VN)	Nb T-
	Nb M+	Nb M-	

- **Méthode d'évaluation de la validité : comparaison à un Gold Standard (GS)**
  - Un Gold Standard est un test diagnostique qu'on utilise comme **référence** (même si aucun test n'est parfait). Dans une démarche diagnostique, c'est l'examen que l'on considère comme donnant la meilleure certitude diagnostique.
  - Il doit être **incontestable** et de validité acceptée ; 3 types de test sont possiblement utilisés :
    - Un test diagnostic définitif : anatomopathologie, biopsie, exploration chirurgicale, autopsie…
    - Ou le suivi à long terme
    - Ou toute autre référence acceptée, par exemple une stratégie complexe succession de plusieurs examens
  - Le GS doit être **déterminé à priori** et le test à évaluer (appelé test index TI) ne doit pas être inclus dans la stratégie GS
  - Tous les sujets inclus dans l'étude doivent obligatoirement subir les 2 examens (GS et TI), et les résultats de chaque test doivent être interprétés **en aveugle indépendamment**, c'est-à-dire l'observateur interprète le résultat du TI sans connaître celui du GO pour le même patient.
  - Les observateurs doivent être formés, compétents et si possible unique pour limiter la variabilité inter-examinateur.
  - Les critères diagnostics de la maladie pour chacun des tests doivent mentionnés, précis, consensuels et cohérents.

- **Le schéma d'étude dépend du type de GS choisi :**
  - Si le seul GS possible est le **suivi** dans le temps, on réalise une étude de **cohorte prospective**
  - Si **un autre** outil est possible, on réalise un schéma similaire à celui des **études cas-témoins**

- **Le nombre d'échantillon de patients dépend de la prévalence de la maladie étudiée :**
  - Si la prévalence est **élevée**, on ne constitue **qu'un seul échantillon** de patients auquel on fait passer successivement le GS et le TI ; le

résultat du GS donne le statut vis-à-vis de la maladie, auquel on compare les performances du TI

- Si la prévalence est **faible**, on constitue **2 échantillons**, l'un composé exclusivement de malades pour calculer la Se, l'autre composé uniquement de non malades pour calculer la Sp.

- <u>**Mesure des caractéristiques intrinsèques du test : Se et Sp**</u>
  - La validité d'un outil diagnostic repose sur sa Se et sa Sp, il faut donc les calculer, assorties de leur IC95%.
  - **Si le résultat est de type qualitatif** (+ ou -), le calcul est facile :

Quelque soit le schéma d'étude, en comparant les résultats de GS et TI on aboutit à un tableau comme suit :

	Malades (M+)	Non malades (M-)	
Test positif (T+)	Vrais positifs (VP)	Faux positifs (FP)	Nb T+
Test négatif (T-)	Faux négatifs (FN)	Vrais négatifs (VN)	Nb T-
	Nb M+	Nb M-	

A partir de là les formules mathématiques permettent alors facilement de calculer la Se et la Sp

- **Si le résultat est de type quantitatif**, il y a nécessité de déterminer un **seuil de positivité**. Pour ce faire, 2 possibilités :
  - <u>Soit on fixe un seuil</u> avec un sens clinique précis et clairement justifié. On établit alors un tableau comme précédent et on calcule Se et Sp pour ce seuil.
  - <u>Soit, on calcule Se et Sp pour toutes les valeurs de seuils</u> possibles : on construit alors une **courbe ROC** établissant une relation entre :
    - × En abscisse la proportion de faux négatifs (1-Sp)
    - × Et en ordonnée la proportion de vrais positifs (Se)
    - × On construit une courbe ROC pour le GS et une pour le TI, l'écart entre les 2 courbes est appelé **Aire Sous la Courbe (Aire Under Curve AUC)** et représente la validité du TI pour tous les seuils possibles ; plus elle est petite, plus le TI est valide. A partir de là on choisi le seuil pour lequel les résultats du TI se rapproche le plus du GS, c'est-à-dire là où se trouve le meilleur compromis entre Se et Sp, là où les courbes ROC du TI et du GS se rapproche le plus.

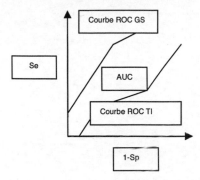

Figure 13 : Exemple de courbes ROC

- **Mesure des caractéristiques extrinsèques du test VPP et VPN :**
  - Toujours en se servant du même tableau, en appliquant les formules, on calcul alors la VPP et la VPN, valeurs qui dépendent de la prévalence de la maladie dans l'échantillon de patients étudié.

Méthodologie pratique

1- Règles générales

- Comme toutes les autres matières, la LCA a ses codes et ses réflexes avec lesquels il faut se familiariser.

- Pour comprendre ce qui est attendu des étudiants Il faut se poser 2 questions :
  - **Pour quelle raison a été créée cette épreuve?**
    - Afin de développer l'esprit critique du futur médecin pour qu'il soit plus à même de tirer les bonnes conclusions et de lire entre les lignes au sein d'une multitude de publications, qui sont souvent d'une valeur scientifique douteuse. Aussi, l'interne est un acteur important de la rédaction d'articles dans son service, il était donc souhaitable qu'il sache de quoi il parle … En bref on cette épreuve est faite pour que n'importe quel labo n'arrive pas à nous faire prescrire n'importe quoi (trou de la sécu oblige) en s'appuyant sur un article fait n'importe comment. Dans votre copie devront donc apparaître les qualités attendues :
      - × **Logique** : raisonnement clair, réponse organisée, description puis analyse des données
      - × **Esprit critique** : savoir reconnaître les failles ET les atouts d'un article. Il est vrai qu'il y a plus souvent à critiquer qu'à encenser mais il ne faut pas non plus torpiller systématiquement les auteurs à chaque question
  - **Qui corrige cette épreuve ?**
    - Un jury de profs constitué de la même manière que pour les autres épreuves. Autrement dit, des médecins de toutes spécialités confondues et un ou deux spécialistes en santé publique qui établissent la grille de correction initiale qui est ensuite discutée avec l'ensemble du jury ce qui aboutit à une grille où les mots clés sont à la fois des termes précis de LCA mais aussi beaucoup de notions simples, de description et de bon sens. Vos réponses doivent donc contenir les deux types d'info :
      - × **Des notions claires** tirées du texte
      - × Et leur « traduction » en **termes techniques**

2- Composition de l'épreuve, répartition du temps

- **L'épreuve de LCA comporte :**
  - Une partie **Questions : 80 %** de la note (80 pts/100)
    - 6 à 10 questions de longueur variable et faisant partie des 24 objectifs pédagogiques définis par le CNCI (cf. plus loin). La réponse à chaque question n'est pas limitée par un cadre mais le feuillet de réponse de l'ENC limite (un peu) la longueur de la totalité des réponses. En effet, en LCA ou ailleurs, à l'ENC vous ne disposez que d'un seul feuillet de réponse.
  - Une partie **Résumé : 20 %** de la note (20 pts/100)
    - Le but est de résumer l'article en 250 mots maximum dans un cadre prévu à cet effet.

- **Répartition du temps durant l'épreuve de 3h :**
  - Il n'y a pas de répartition du temps idéale elle doit être adaptée à chacun, je vous donne à titre indicatif la mienne :
    - Lecture des questions : 5 min
    - Lecture approfondie du texte (compréhension, surlignage, annotation…) : 50 min (c'est beaucoup mais quand cette est étape est bien faite vous savez exactement où trouver la réponse aux questions)
    - Rédaction des réponses aux questions : 1h15
    - Rédaction du résumé : 45 min. Personnellement je préférais faire le résumé après les questions parce qu'on est mieux imprégné du texte et que les questions sont à soigner car plus notées.
    - Relecture : 5 min

- **Conseils généraux :**
  - Toujours essayer d'articuler sa réponse en 3 parties : description-justification extraites du texte, analyse, conclusion.
  - Etre clair et concis, ne pas essayer d'embrouiller le correcteur avec des romans qu'il ne lira pas.
  - Ne pas hésiter à sauter une question qui ne semble pas claire et y revenir plus tard. Souvent les choses s'éclaircissent au fur et à mesure qu'on travaille sur l'article ; et si elles ne s'éclaircissent pas il ne faut pas perdre du temps précieux sur une question mal cernée où l'on tournera autour du pot.

- Voici des **conseils spécifiques** pour répondre aux 24 objectifs pédagogiques :

1- Identifier l'objet d'un article médical scientifique, parmi les suivants : évaluation d'une procédure diagnostique, d'un traitement, d'un programme de dépistage, estimation d'un pronostic, enquête épidémiologique à l'exclusion des méta-analyses

- Cf. partie A chapitre 3

- Où trouver l'info dans l'article : introduction et matériel et méthodes

- Conseils : Il s'agit tout simplement d'identifier le type d'étude en fonction de son objectif ; pour n'oublier aucune caractéristique (et ne rater aucun mot clé) procédez du plus général au plus précis
  - Ex : étude :
    - Epidémiologique
    - Explicative comparative
    - De cohorte prospective
    - Expérimentale : essai thérapeutique
    - Randomisée, contrôlée
    - En double aveugle

2- Identifier la « question » posée par les auteurs (hypothèse)

- Cf. partie A chapitre 2 paragraphe 1

- Où trouver l'info dans l'article : dernière phrase de l'introduction en général, parfois au milieu de l'introduction

- Conseils : il s'agit de l'objectif principal de l'étude ; si l'objectif énoncé par les auteurs est complet, vous pouvez le recopier tel quel, sinon vous pouvez l'étoffez avec des précisions recueillies à d'autres endroit de l'article, par exemple la population sur laquelle est menée l'étude
  - Ex : mesurer la mortalité néonatale **chez les nouveaux nés à terme dans le Nord de la France**

3- Identifier les caractéristiques (données démographiques) de la population étudiée, à laquelle, les conclusions pourront être appliquées

- Cf. partie A chapitre 4 paragraphe 1

- Où trouver l'info dans l'article : introduction et matériel et méthodo

- Conseils : il s'agit de décrire la population cible de l'étude

4- Analyser les modalités de sélection des sujets, critères d'inclusion et de non inclusion et d'exclusion

- Cf. partie A chapitre 4 paragraphe 1

- Où trouver l'info dans l'article : matériel et méthodes (début)

- Conseils : il s'agit d'analyser l'échantillon de population étudiée :
  - Identifier les modalités de sélection, la population source
  - Identifier ses caractéristiques
  - Et en déduire de tout ca d'éventuels biais de sélection

5- Identifier la technique de randomisation et vérifier sa cohérence, le cas échéant

- Cf. chapitre partie 1 paragraphe 4

- Où trouver l'info dans l'article : matériel et méthodes

- Conseils : il s'agit d'identifier le type de randomisation, sa rigueur, et d'en déduire d'éventuels biais

6- Discuter la comparabilité des groupes soumis à la comparaison

- Cf. partie A chapitre 2 paragraphe 1 / partie B chapitre 1 paragraphe 4 et 5

- Où trouver l'info dans l'article : matériel et méthodes (constitution des groupes, comparabilité initiale) et début des résultats (comparabilité finale des groupes)

- Conseils : pour les questions sur la comparabilité il faut raisonner sur 2 aspects :
  - La comparabilité initiale des groupes : c'est-à-dire est ce que la méthode de constitution des groupe est équitable et permet une comparabilité
  - La comparabilité finale des groupes : souvent la comparaison des caractéristiques des groupes dans un tableau au début des résultats nous dit si effectivement les groupes sont comparables ; il faut aussi s'assurer du maintien de comparabilité en cours d'étude, par du double aveugle par exemple.

7- Discuter l'évolution des effectifs étudiés et leur cohérence dans la totalité de l'article ; savoir si le calcul du nombre de sujets nécessaires a été effectué à priori

- Cf. partie A chapitre 4 paragraphe 2 / partie B chapitre 1 paragraphe 5

- Où trouver l'info dans l'article : matériel et méthodes (effectif et NSN) et résultats (cohérence des effectifs)

- Conseils :
  - Il faut vérifier que les auteurs justifient l'effectif de l'échantillon par un calcul du NSN en fonction du critère de jugement principal
  - Il faut vérifier la cohérence des effectifs au cours de l'étude, c'est-à-dire vérifier qu'on sache où chacun des sujets est passé, en gros que les comptes soient exacts ; la meilleure façon de matérialiser cette cohérence est un diagramme de flux, d'ailleurs on peut aussi nous demander de le construire à partir des données du texte

8- S'assurer que la méthode employée est cohérente avec le projet du travail et qu'elle est effectivement susceptible d'apporter «une» réponse à la question posée dans l'introduction

- Cf. partie A chapitre 3

- Où trouver l'info dans l'article : introduction (pour l'objectif) et matériel et méthodes (pour le protocole)

- Conseils : il faut vérifier que le type d'étude soit adapté à l'objectif
  - 1- On décrit l'objectif
  - 2- On décrit le protocole d'étude
  - 3- On conclut si oui ou non le protocole permet de répondre à la question posée

9- Vérifier que les analyses statistiques (en fonction de notions élémentaires) sont cohérentes avec le projet du travail ; connaître les limites de l'analyse par sous groupe ; connaître la notion de perdus de vue

- Cf. partie A chapitre 5 et 6 / partie B chapitre 1 paragraphe 5 et 6

- Où trouver l'info dans l'article : matériel et méthodes

10- Vérifier le respect des règles d'éthique

- Cf. partie A chapitre 10

- Où trouver l'info dans l'article : matériel et méthodes

- Conseils : raisonner avec vos connaissances et aussi avec votre bon sens

11- Analyser la présentation, la précision et la lisibilité des tableaux et des figures, leur cohérence avec le texte et leur utilité

- Cf. partie A chapitre 2 paragraphe 1

- Où trouver l'info dans l'article : résultats

- Conseils :
  - Les tableaux et figures ont pour avantage de :
    - Présenter des données répétitives

- Etre clairs
- Présenter les données nécessaires pour effectuer des calculs
- Les critères de bonne qualité des tableaux et figures sont :
  - Titre informatif, explicatif et bref
  - Légendes visibles et de qualité
  - Compréhensibles indépendamment du texte
  - Placement adapté dans le texte
  - Appelés au moins une fois dans le texte
  - Les nombres du tableau sont concordants avec ceux du texte
- Les erreurs fréquentes :
  - Redondance avec le texte ou entre 2 tableaux ou figures
  - Non concordance des données avec le texte

12- Vérifier la présence des indices de dispersion permettant d'évaluer la variabilité des mesures et de leurs estimateurs

- Cf. partie A chapitre 6

- Où trouver l'info dans l'article : résultats

- Conseils : retenez bien que les mesures ne sont que des estimations, elles n'ont aucune valeur sans leurs indices de dispersion et de significativité

13- Discuter la nature et la précision des critères de jugement des résultats

- Cf. partie A chapitre 2 paragraphe 1

- Où trouver l'info dans l'article : matériel et méthodes

- Conseils :
  - Bien séparer critère de jugement principal et critères de jugement secondaires
  - Pour discuter de la nature et la précision du critère :
    - Enoncer le critère tel qu'il est dans le texte
    - Décrire le critère et le caractériser : objectif/subjectif, clinique/paraclinique, unique/composite
    - Vérifier que le critère est défini précisément à priori (matériel et méthodes) et respecté à postériori (résultats et discussion). Ex : si les auteurs annoncent qu'ils cherchent à prouver qu'un médicament améliore la survie à 5 ans, ils n'ont pas le droit de conclure à l'efficacité si uniquement la survie à 10 ans est améliorée.

- Rechercher s'il remplit les qualités suivantes : précis, validé, admis, consensuel, objectif, reproductible, pertinent
- Conclure

14- Relever les biais qui ont été discutés. Rechercher d'autres biais d'information et de sélection éventuels non pris en compte dans la discussion et relever leurs conséquences dans l'analyse des résultats

- <u>Cf. partie A chapitre 7</u>

- <u>Où trouver l'info dans l'article :</u> discussion (pour les biais discutés), tout l'article (pour les éventuels biais non pris en compte)

- <u>Conseils :</u> pour répondre à une question concernant un biais :
  - Articuler votre réponse selon 3 axes :
    - Description
    - En déduire le type de biais : toujours répondre du plus général au plus précis, en énonçant d'abord la catégorie de biais concernée (sélection/classement/information) et en précisant ensuite. Ex : biais de classement de type biais de prévarication
    - En conclure les conséquences sur l'interprétation des résultats : effet négligeable ou pas ? En sachant qu'un biais est d'autant plus grave qu'il est différentiel entre les 2 groupes, c'est-à-dire si une différence du protocole d'étude entre les deux groupes fait que un seul des deux groupes comporte un biais.

15- Vérifier la logique de la discussion et sa structure. Reconnaître ce qui relève des données de la littérature et ce qui est opinion personnelle de l'auteur

- <u>Cf. partie A chapitre 2</u>

- <u>Où trouver l'info dans l'article :</u> discussion

- <u>Conseils :</u>
  - Une discussion doit analyser et conclure sur les résultats de l'étude ; une bonne discussion doit comporter successivement :
    - Une synthèse des principaux résultats de l'étude. Attention aucun nouveau résultat ne doit apparaître à ce stade
    - Discussion sur la méthode et les conditions de réalisation de l'étude
    - Discussion des limites de l'interprétation des résultats : éventuels biais et failles
    - Confrontation des résultats à ceux d'autres études similaires citées en référence

- Possible ouverture avec suggestion d'études avenir pour affiner la réponse à la problématique de l'étude
- Les données de la littérature sont énoncées comme des références avec leurs auteurs et année de publication ; de bonnes références sont Multiples, récentes, scientifiques, validées, internationales, accessibles, pertinentes, dans le contexte
- Ce qui relève de l'opinion personnelle de l'auteur est introduit par : « notre étude montre que… », « les résultats suggèrent que… »

16- Discuter la signification statistique des résultats

- Cf. partie A chapitre 5

- Où trouver l'info dans l'article : résultats

- Conseils :
  - Lorsqu'il y a beaucoup de résultats différents, les classer en deux groupes :
    - « Il existe une différence statistiquement significative pour : … »
    - « Il n'y a pas de différence statistiquement significative pour : … »
  - Penser à justifier à chaque fois avec les valeurs numériques de petit p ou de l'IC95%

17- Discuter la pertinence clinique des résultats

- Cf. partie A chapitre 5 paragraphe 5

- Où trouver l'info dans l'article : résultats et discussion

- Conseils :
  - Classer la réponse en résultat principal et résultats secondaires, en n'oubliant pas qu'on ne peut rien conclure à partir des résultats secondaires, seulement formuler des hypothèses
  - La pertinence clinique d'un résultat ne s'envisage que s'il est statistiquement significatif ; autrement dit un résultat non statistiquement significatif ne peut jamais être pertinent cliniquement, et il ne faut pas avoir peur de le dire
  - Garder du bon sens et du recul : une amélioration de survie de 0,06 mois même statistiquement significative n'est pas pertinente cliniquement, et ne justifie pas la recommandation d'un nouveau médicament souvent bien plus cher que l'ancien

18- Vérifier que les résultats offrent une réponse à la question annoncée

- Cf. partie A chapitre 2 paragraphe 1

- Où trouver l'info dans l'article : résultats

- Conseils :
  - La section résultats doit présenter successivement :
    - La description de la population étudiée
    - Puis les résultats répondant à la question annoncée ; ceux-ci doivent présenter les caractéristiques suivantes :
      - × Correspondre à la question posée
      - × Etre appuyés par des valeurs numériques
      - × Ne pas être redondants : chaque résultat doit être énoncé qu'une seule fois
      - × Ils doivent suivre une progression logique : résultat principal puis secondaires, analyse univariée puis multivariée, analyse globale puis par sous groupe

19- Vérifier que les conclusions sont justifiées par les résultats

- Cf. partie A chapitre 2 paragraphe 1

- Où trouver l'info dans l'article : conclusion ou fin de la discussion (certains articles n'ont pas de paragraphe conclusion clairement individualisé, c'est donc la fin de la discussion qui joue ce rôle)

- Conseils : une bonne conclusion :
  - Synthétise les résultats principaux de l'étude, est la réponse à la question posée en fin d'introduction
  - Conclue sur les implications de l'étude en pratique courante
  - Se base sur les résultats scientifiques de l'étude et non sur l'opinion personnelle de l'auteur

20- Indiquer le niveau de preuve de l'étude (grille de l'HAS)

- Cf. partie A chapitre 9

- Où trouver l'info dans l'article : tout l'article

- Conseils :
- Premièrement en fonction du type d'étude, on peut en déduire à quel(s) niveau de preuve l'article peut prétendre
- Puis en fonction des biais et de la rigueur méthodologique propre à cette étude on en déduit le niveau de preuve réel : tout type d'étude comportant des biais important a un niveau de preuve 4
- Au niveau de preuve on associe le grade de recommandation correspondant (A, B, C)

21- Discuter la ou les applications potentielles proposées par l'étude

- Cf. partie A chapitre 5 et 8

- Où trouver l'info dans l'article : Discussion

- Conseils : articuler ce genre de réponse en 3 parties :
  - Rappel synthétique des principaux résultats
  - Discussion sur la **validité** des résultats : limites, biais
  - Discussion sur l'**applicabilité** et la généralisation des résultats : les résultats sont-ils généralisables ? A quelle population ou sous population sont-ils extrapolables ? En quoi ces résultats pourraient modifier notre pratique courante

22- Identifier la structure IMRAD (Introduction, Matériel et méthode, Résultats, Discussion) et s'assurer que les divers chapitres de la structure répondent à leurs objectifs respectifs

- Cf. partie A chapitre 2 paragraphe 1

- Où trouver l'info dans l'article : tout l'article

- Conseils :
  - La structure IMRAD se voit au premier coup d'œil sur le texte, en visualisant les titres des paragraphes
  - Le contenu est évident dès la première lecture

23- Faire une analyse critique de la présentation des références

- Cf. partie A chapitre 2

- Où trouver l'info dans l'article : discussion +/- paragraphe à la fin de l'article (le paragraphe références et bibliographie est parfois coupé dans la version présentée pour l'épreuve)

- Conseils : les références parfaites sont
  - Multiples, récentes
  - Scientifiques, validées
  - Internationales
  - Accessibles
  - Pertinentes, dans le contexte

24- Faire une analyse critique du titre

- Cf. partie A chapitre 1

- Où trouver l'info dans l'article : titre

- Conseils : le titre parfait doit être
  - Bref, concis
  - Informatif : maximum d'info dans le minimum de mots
  - Clair
  - Reflète bien l'objectif de l'étude
  - Attractif
  - Mots clés mis en valeur (placés au début et à la fin)
  - Pas de mots creux

1- Généralités

- Vous devez résumer l'article en 250 mots maximum en respectant la structure. L'énoncé de la question vous précise les parties souhaitées ; le plus souvent c'est : objectif, méthodes, résultats, conclusion ; rarement il sera demandé en plus une phrase d'introduction et / ou une discussion.

- Vous pouvez utiliser telle quelle une phrase du texte si elle est bien ou la remanier pour la rendre plus concise et plus informative.

- Vous disposez d'une grille de rédaction avec compte des mots. Il est conseillé de faire au préalable une ébauche au brouillon avec estimation du nombre de mots que vous allez utilisez ; pour ce faire, sur une page de brouillon, numérotez 50 lignes (25 au recto et 25 au verso) et écrivez 5 mots par ligne ; c'est une méthode rapide à réaliser et qui évite les mauvaises surprise de place dans la grille de résumé.

- Vous avez le droit d'utiliser des abréviations mais il faut les définir une fois.

2- Structure et composition du résumé

- Voici ce que doit contenir un résumé, partie par partie ;
  - En écriture droite : ce qui est indispensable
  - *En italique* : ce qui est facultatif, ce que vous devez mettre uniquement si vous avez de la place

- **Introduction** : que si demandée
  - Justification de l'étude, contexte : 1 phrase

- **Objectif** :
  - *Justification de l'étude, contexte : 1 phrase*
  - Objectif de l'étude : 1 phrase ; en commençant par un verbe à l'infinitif vous économisez des mots. Ex : Rechercher les facteurs de risques des complications pulmonaires en postopératoire

- **Méthodes** :
  - Type d'étude : 1 phrase
  - Définition de la population cible et source avec critères d'exclusion et d'inclusion principaux : 1 phrase
  - *Description complète des critères d'exclusion et d'inclusion*
  - Définition du critère principal de jugement : 1 phrase
  - Description des méthodes de recueil de l'information, modalités d'une éventuelle randomisation, durée de suivi : 2 phrases
  - Méthode statistique utilisée : 1 phrase

- **Résultats** : partie la plus longue
  - Population réellement incluse (effectif, description des principales caractéristiques, perdus de vue) : 2 phrases
  - Résultats de l'objectif principal : valeur numérique, indice de dispersion et de signification statistique : 1 à 2 phrases
  - *Résultats des objectifs secondaires, de l'analyse en sous groupe*

- **Discussion** : que si demandée
  - Eléments principaux de la discussion : 1 à 2 phrases

- **Conclusion** :
  - Réponse à la question posée : 1 phrase
  - *Ouverture*

3- Comment compter les mots ?

- **Comptent comme un mot (une case) :**
  - Un mot : simple ou composé avec ou sans tiret (exemple: globulines, gamma globulines, α trypsine...) ; l'article (le, la, un, l'...) associé au mot doit être dans la même case
  - Une conjonction (et...)
  - Un nombre ou une expression chiffrée (m±SD, p< 0,05,IC95, a-b)
  - Un sigle (sauf s'il est attaché à un mot : Médicament® compte une seule case), (exemple : OBNI)
  - Un acronyme accepté par le CNCI (quel que soit le nombre de lettres) (exemple : Sida)
  - Les abréviations acceptées par le CNCI (une case par abréviation exemple Se= sensibilité= une case)
  - Les lettres utilisées isolément (α, ß...).

- **Ne comptent pas séparément (doivent donc être associés dans une case) :**
  - La ponctuation (. , ; ? !)
  - Les signes conventionnels (>, <, ≥…) ;
  - Les guillemets
  - Les parenthèses ou crochets
  - L'article (le, la, un, l'…) associé au mot ;
  - Les numéros ou lettres d'une énumération (accompagnés ou non d'une ponctuation ou d'un tiret (ex : a, a, 1-, 1…) ;
  - Les unités associées à un nombre (ex : 18 mg, 172 ml/min.m2, 26 m/s).

- **Comptent séparément (doivent être inscrits dans des cases séparées) tous les autres cas**

Glossaire

*L*a collection des **Dossiers Thématiques Transversaux** a été nouvellement créée afin de préparer au mieux les **étudiants pour l'ECN** et les **examens du DCEM**.

- Ces dossiers ont été réalisés par des auteurs classés parmi les premiers de l'ECN 2009 et validés par des spécialistes de la matière.
- Les énoncés ont été choisis pour couvrir l'ensemble du programme de la spécialité en s'intéressant aux sujets tombables. Ils comportent par ailleurs des questions transversales susceptibles de prolonger les dossiers de cette spécialité lors des ECN.
- Ils vous permettent une mise en condition avec la partie «première lecture». Celle-ci aborde les quelques minutes que vous aurez lors de chaque épreuve pour classer vos dossiers par ordre de difficulté et pour inscrire vos zéros, mots clés et réflexes sur votre brouillon.
- Les grilles de corrections présentent une double cotation : l'une courte type ECN et l'autre plus détaillée pour la préparation aux partiels de la faculté. Celles-ci intègrent les dernières conférences de consensus et les dernières recommandations des sociétés savantes qui seront notées dans un tableau récapitulatif.
- Des commentaires généraux et par question vous permettront d'adopter la méthode de réflexion des premiers de l'ECN.
- Une grille personnelle d'auto-évaluation a été ajoutée et vous permettra de progresser afin d'obtenir une note proche de 100 pour chaque dossier.
- Enfin, la liste des items abordés pour chaque dossier sera inscrite dans un tableau récapitulatif afin de compléter vos supports de cours : sujets tombables, réflexes, zéros, mots clés et méthodologie de lecture des dossiers de cette spécialité.

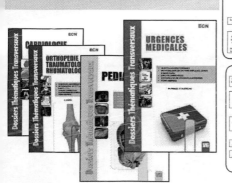

www.vernazobres-grego.com

A

- **Ajustement**

Moyen, dans une enquête épidémiologique, de prendre en compte un *biais de confusion* au moment de l'analyse.

- **Aléatoire**

Dont la survenue dépend du hasard. La répartition aléatoire d'un traitement ou d'une action fait confiance au hasard. On admet que les groupes de sujets tirés au sort sont comparables pour tous les facteurs connus ou inconnus, qui pourraient influencer sur le critère que l'on mesure. Souvent, cette hypothèse de comparabilité des groupes est vérifiée numériquement lors de l'analyse des résultats.

- **Alpha :** *voir* **Risque alpha**

- **Analyse**

Extraction et exploitation de résultats pertinents à partir d'une série de données. Le type d'analyse doit être prévu *a priori* dans le *protocole* de l'étude. Elle prendra en compte la question posée, *les critères de jugement* utilisés et d'autres variables, appelées covariables, qui peuvent interférer avec les critères de jugement. C'est en fonction du type de variables étudiées (qualitatives, nominales, ordinales ou quantitatives) que pourra se faire le choix des tests utilisés pour cette analyse.

- **Analyse en intention de traiter**

Méthode qui consiste à analyser les données de tout patient inclus (voir inclusion), et ce dans le « bras » (groupe de tirage au sort) dans lequel il a été randomisé au début de l'étude.

- **Analyse intermédiaire**

Analyse effectuée avant l'inclusion de tous les sujets prévus. Elle est réalisée le plus souvent lorsque l'étude est longue. Elle doit être prévue dans le protocole, et le nombre de sujets nécessaires prend en compte le nombre d'analyses intermédiaires qui sont prévues. Pour chaque analyse intermédiaire, un seuil de signification doit être choisi.

- **Analyse par sous-groupe**

Analyse qui, à partir des données initiales globales, permet de mettre en avant la différence de traitement entre divers sous-groupes au cours d'un essai thérapeutique. Attention! Si l'analyse par sous-groupe semble

attrayante, elle peut être erronée si elle n'a pas été prévue explicitement au départ dans le protocole et si l'étude ne conclut pas positivement sur le critère principal. En effet, même s'il n'existe pas de différence entre deux traitements, on pourra très souvent trouver un sous-groupe particulier où une différence est significative.

- **Appariement**

Technique permettant de rendre comparables deux ou plusieurs groupes, en particulier par rapport à certains facteurs de confusion déjà connus dont on veut neutraliser les effets, *(voir* apparier).

- **Apparier (former des paires)**

Rendre comparables deux groupes en termes de facteurs de confusion potentiels. Pour chaque cas (exemple : un malade), on associe un ou plusieurs témoins qui lui sont similaires pour un ou plusieurs facteurs (exemple : âge, sexe, niveau socio-économique).

B

- **Bêta :** *voir* **Risque bêta**

- **Biais**

Erreur systématique qui fausse les résultats dans un sens donné. On distingue trois grandes familles de biais : les biais de sélection, de classement et de confusion.

- **Biais de classement**

Biais dans la mesure du facteur de risque ou dans la certitude de la maladie. Cette erreur est quasi inévitable puisqu'aucun outil de mesure (interrogatoire, examen, test) n'est parfait.
Exemple : un comportement à risque minimisé par le malade, ou simplement non recherché dans le questionnaire.

- **Biais de confusion**

Biais provoqué par un facteur de confusion interagissant avec le facteur de risque étudié dans l'étude du lien entre ce facteur et la maladie.

- **Biais de sélection**

Biais dans la constitution de l'échantillon, qui va se retrouver non représentatif de la population générale pour des facteurs liés au problème étudié (d'où le biais).

- **Biais de mémorisation**

Type de biais de classement lorsque l'information sur l'exposition a été obtenue a posteriori après que le diagnostic des cas a été établi (cas-témoin).

- **Bilatéral**

Qui prend comme hypothèse alternative l'existence d'une différence. Un test statistique est bilatéral si on suppose qu'il existe une différence, dans un sens ou dans l'autre.

C

- **Causalité**

Rapport établi entre une cause et un effet, un facteur de risque et une maladie. Le facteur étudié est responsable (au moins en partie) de la maladie étudiée.

- **CCPPRB - CPP**

Comité consultatif de Protection des personnes se prêtant à la recherche biomédicale. Tous les protocoles de recherche clinique doivent être soumis au CCPPRB pour avis. Ce comité informe de son avis l'investigateur qui lui a présenté la demande. Les études épidémiologiques sans investigations invasives sortent de ce champ. Les nouveaux textes l'ont renommé en CPP, Comité de protection des personnes.

- **Clause d'ambivalence**

Tout patient inclus dans un essai thérapeutique doit pouvoir recevoir n'importe lequel de traitements étudiés, et donc n'avoir aucune contre-indication à aucun des traitements.

- **Clause d'ignorance**

Fait de ne pas révéler à un patient le médicament qu'il va recevoir dans un essai thérapeutique, et pour un médecin qui inclut un patient dans un essai, de ne pas savoir quel traitement ce patient va recevoir. Sinon, l'inclusion des patients dans l'essai risque d'être influencée par la conviction intime du médecin de l'efficacité de l'un ou l'autre traitement réellement efficace. Le tirage au sort respecte la clause d'ignorance.

- **Cohorte de sujets**

Groupe de personnes suivies dans le temps de manière prospective, ayant en commun d'avoir subis un événement semblable.

- **Comité d'éthique**

Groupe national d'experts composé de médecins, de juristes, de philosophes, etc. en France. Il donne son avis sur des questions d'éthique d'ordre général.

- **Comparabilité des groupes**

C'est l'un des critères de qualité dans les essais cliniques. C'est une condition nécessaire pour que seul le traitement influence le critère de jugement et que les changements observés soient imputables à la nouvelle thérapeutique testée. La randomisation permet, en théorie, de constituer des groupes comparables.

- **Consentement éclairé**

Document écrit spécifiant les risques encourus par un patient, signé par lui, et dans lequel il est impérativement spécifié que le malade a le droit d'arrêter à tout moment de participer à l'étude, sans conséquence pour la poursuite des soins, dans le cadre d'une étude de recherche clinique soumise à la loi Huriet-Serusclat. Le médecin doit donc expliquer clairement et simplement les avantages et inconvénients de la participation à l'essai, et garde le consentement signé dans le dossier du patient (celui-ci en garde un double).

- **Courbe de survie :** *voir* Survie (courbe de)

- **Courbe de survie de Kaplan-Meier :** *voir* Survie (courbe de)

- **Courbe de survie actuarielle :** *voir* Survie (courbe de)

- **Critère de jugement**

Critère qui permet de mesurer l'effet du traitement dans un essai thérapeutique ou la survenue d'un événement dans une étude épidémiologique. L'idéal est d'avoir un seul critère de jugement, dit «critère de jugement principal».

- **Cross-Over**

Essai thérapeutique où le sujet est pris comme son propre témoin. Un groupe de patients reçoit le traitement A puis le traitement B, l'autre groupe de patients reçoit le traitement B puis le traitement A.

D

- **Date d'origine de survie :** *voir* Survie (date d'origine)

- **Date des dernières nouvelles de survie :** *voir* Survie (date des dernières nouvelles)

- **Date de point de survie :** *voir* Survie (date de point)

- **Degré de signification**

Risque (au sens de pari) de se tromper lorsque l'on conclut à une différence dans un test statistique, la plupart des tests étant construits pour mettre en évidence une différence. Lorsqu'on fait un test statistique, le logiciel donne le résultat du test mais surtout le « p » ou degré de signification. Le risque d'erreur considéré comme acceptable est le seuil de signification. Classiquement, le risque d'erreur acceptable est inférieur à 5 %. Donc, si p < 0,05, on a moins de 5 % de chances de se tromper en concluant à une différence, on dit que la différence est significative. Pour p = 0,05, si on répétait cent fois l'expérience, on pourrait trouver une différence significative cinq fois par hasard.

- **Délai ou temps de participation :** *voir* Survie (délai ou temps de participation)

- **Densité d'Incidence**

Nombre de nouveaux cas d'une maladie, survenus au cours d'une période donnée, rapporté au nombre d'unités personne-temps exposées au risque dans la population.

- **Dépistage**

Identification de sujets malades à un stade asymptomatique ou peu évolué facilement curable, ou de sujets chez qui on suspecte fortement la maladie et chez qui il est licite de procéder à des explorations plus ou moins invasives et coûteuses qui confirmeront ou infirmeront le diagnostic.

- **Dose-effet (relation dose-effet)**

Il existe une relation dose-effet, en épidémiologie, lorsque le risque lié à un facteur varie en fonction de l'intensité de l'exposition (c'est-à-dire : plus l'exposition est grande, plus l'incidence est élevée). Pour ce qui concerne les médicaments, il existe une relation dose-effet lorsque l'effet du médicament varie en fonction de la dose reçue. Cette variation a, en général, une certaine forme: linéaire, exponentielle.

- **Double *placebo***

Dans un essai thérapeutique au cours duquel deux médicaments comparés il est idéal qu'ils soient identiques surle plan galénique et sur celui du mode d'administration (posologie). Quand ce n'est pas possible, il faut prévoir que les patients recevant A prennent aussi un *placebo* de B ; et que les patients recevant B prennent aussi un *placebo* de A.

E

- **Écart au protocole**

Ensemble de situations où le protocole n'a pas été suivi scrupuleusement. Il faut le mentionner lors de la restitution des résultats et dire comment cela a été pris en compte dans l'analyse, en expliquant quelle influence peuvent avoir eu ces écarts sur les résultats observés.

- **Échantillon**

Partie de la population totale sur laquelle on va travailler. L'échantillon est représentatif pour un caractère, si ce caractère se distribue identiquement dans l'échantillon et dans la population globale. Un échantillon aléatoire de taille conséquente (loi des grands nombres) est supposé représentatif (on fait confiance au hasard).

- **Effet *carry over***

Poursuite de l'effet d'un médicament après son arrêt, et dépendant de la demi-vie du médicament : lorsqu'un patient prend un médicament, et qu'il n'interrompt pas assez tôt la prise du médicament, l'effet de celui-ci peut se poursuivre et interférer avec le médicament testé, d'où l'utilité d'une période préalable plus ou moins longue sans traitement (Wash out).

- **Effet *nocebo***

Effet négatif de la prise d'un médicament qui n'est pas lié aux propriétés physico-chimiques de la molécule, mais au fait même que l'on prend un traitement (effet psychologique).

- **Effet *placebo***

Effet positif de la prise d'un médicament qui n'est pas lié aux propriétés physico-chimiques de la molécule, mais au fait même que l'on prend un traitement (effet psychologique).

- **Éligibilité** : *voir* Sujets éligibles

- **Enquête (ou étude) Cas-Témoin**
Enquête rétrospective dans laquelle on interroge comparativement des malades (cas) et des non malades (témoins) sur leurs expositions dans le passé à des facteurs de risque. Les liens entre expositions et maladies (la mesure du risque de survenue de la maladie lié à l'exposition) sont résumés par des *odds ratios* et leurs intervalles de confiance.

- **Enquête de cohorte**
Enquête prospective dans laquelle on suit l'évolution de sujets dont on a relevé initialement l'exposition à des facteurs pour lesquels on veut étudier l'effet sur la santé.

- **Enquête exposés, non exposés**
Enquête prospective dans laquelle on suit un groupe de sujets exposés à un facteur de risque et un groupe de sujets non exposés.

- **Enquête longitudinale**
Enquête au cours de laquelle des informations sont recueillies de façon longitudinale, c'est-à-dire tout au long de l'étude. La durée de l'étude est définie et peut être assez longue (plusieurs années). Elle peut être prospective ou rétrospective.

- **Enquête transversale**
Enquête qui consiste à recueillir simultanément ou quasi simultanément les données relatives à la maladie et aux facteurs de risques étudiés.

- **Epidémie**
Augmentation de la fréquence d'une maladie dans une population donnée et à un moment donné, par rapport à ce qui serait attendu en situation normale.

- **Epidémiologie**
Étude de la distribution des problèmes de santé et des facteurs qui les influencent. On distingue classiquement épidémiologie descriptive, analytique et évaluative

- **Équilibre (tirage au sort)**
Tirage au sort défini dans le protocole par le fait que pour tous les « n » patients (par exemple, tous les six patients), le nombre de patients recevant le médicament A (trois patients) et le médicament B (trois patients) est le même.

- **Equivalence**

Démonstration que deux traitements sont équivalents dans certains essais thérapeutiques spécifiques. La méthodologie est différente des essais classiques dits « essais d'efficacité » (dans les essais classiques, on cherche à mettre en évidence une différence). Les essais d'équivalence nécessitent des hypothèses et des tests statistiques particuliers.

- **Essai clinique**

Étude expérimentale mise en place pour comparer un nouveau traitement au traitement de référence quand il existe, ou à *un placebo*. Le traitement peut être curatif (le plus souvent) ou préventif. Dans cette définition, le mot : « traitement » peut également s'entendre au sens de stratégie thérapeutique.

- **Essai contrôlé**

Essai dans lequel il y a un groupe considéré comme témoin et un groupe de sujets traités.

- **Essai d'efficacité**

Mise en évidence d'une différence dans un essai thérapeutique où, le plus souvent, le but est de montrer l'efficacité d'un traitement par rapport à un *placebo* ou au traitement de référence.

- **Essai de phase I**

Ces essais portent sur des volontaires sains. L'étude sert à déterminer la dose maximale tolérée. Elle sert aussi à étudier la cinétique du produit et à calculer les doses qui seront administrées au malade en phase II.

- **Essai de phase II**

Ces essais portent sur des malades volontaires. Cette phase a pour but d'étudier l'efficacité pharmacologique du produit et de déterminer la dose optimale pour la phase III.

- **Essai de phase III**

Cette phase correspond, aux essais thérapeutiques comparatifs. Au cours de cette phase d'étude de l'efficacité d'un traitement, on recherche la dose pour laquelle le rapport efficacité/ tolérance est le meilleur et on définit le schéma posologique.

- **Essai de phase IV**

Tout essai thérapeutique réalisé après la commercialisation d'un médicament. Il s'agit principalement d'essais de pharmacovigilance ou

d'essais comparatifs pour glissement d'indication (indications non encore autorisées par l'AMM).

• **Essai de prévention**

Étude expérimentale, ou quasi expérimentale, mise en place pour évaluer l'efficacité d'une action de prévention. Ces essais se font chez des personnes saines (prévention primaire) ou malades (prévention secondaire).

• **Essai en double aveugle**

Essai au cours duquel, ni le patient, ni le médecin ne connaissent le traitement pris. Cela permet d'éliminer l'effet *placebo* chez le patient et les biais de mesure liés à la subjectivité du médecin. Dans l'essai en triple aveugle, le chercheur qui analyse les résultats ne sait pas quel groupe de patients a reçu quel type de traitement.

• **Essai en simple aveugle**

Essai au cours duquel le patient ne connaît pas le traitement qu'il reçoit. Le médecin connaît le traitement que chaque patient reçoit. Cela permet normalement de neutraliser les effets *placebo* et *nocebo*.
Syn. : essai en simple insu.

• **Essai ouvert**

Essai thérapeutique souvent mené sur un petit groupe de sujets, parfois comparatif, permettant d'étudier la faisabilité d'un essai comparatif à plus grande échelle.

• **Essai séquentiel**

Essai thérapeutique dont l'analyse est effectuée régulièrement, au fur et à mesure de l'inclusion et de l'évaluation du critère de jugement chez les sujets inclus (tous les « n » sujets). Ce type d'analyse, par sa méthodologie particulière, permet de maîtriser les risques d'erreurs statistiques de première et de seconde espèce.

• **Essai thérapeutique**

Essai permettant l'évaluation d'un candidat médicament chez l'Homme.

• **Estimation**

Méthode visant à obtenir une valeur approchée (estimée) pour un paramètre, quand la vraie valeur est inaccessible (ce qui est le cas le plus fréquent). Cette estimation doit être exacte (non biaisée) et précise (variance faible).

- **Étude épidémiologique prospective**

Étude épidémiologique au cours de laquelle le recueil d'informations concernant les participants porte sur des événements postérieurs au début de l'enquête et sur l'inclusion des participants.

- **Événement**

Situation qui survient au cours de l'étude : guérison, aggravation de la maladie (décompensation, hémorragie, etc.), rechute, décès.

- **Exactitude**

Qualité d'une mesure sans erreur systématique ou sans biais.

- **Exclusion (critère d'exclusion)**

Ensemble d'éléments définis dans un protocole d'exclusion. Les patients ayant tel ou tel critère ne peuvent pas participer à l'étude.

F

- **Facteur d'exposition**

Fait d'être exposé à un facteur (par exemple, exposé à l'amiante, exposé aux colorants etc.).

- **Facteur de risque**

Facteur augmentant ou diminuant le risque de maladie. Si le risque diminue, on parle de facteur protecteur.

- **Facteur pronostique**

Facteur qui influence l'évolution d'une maladie, et qui entraîne plus rapidement une complication ou un décès. Il peut être nécessaire, dans l'analyse d'un essai thérapeutique (en particulier), d'ajuster sur les facteurs pronostiques connus si le critère de jugement est l'évolution de la maladie (par exemple, décès).

G

- **Gold Standard**

Test diagnostique qu'on utilise comme référence (même si aucun test n'est parfait). Dans une démarche diagnostique, c'est l'examen que l'on considère comme donnant la meilleure certitude diagnostique.

- **Groupe contrôle (groupe témoin)**

Groupe qui reçoit le médicament de référence ou le *placebo,* par opposition au groupe qui reçoit le nouveau médicament dans un essai thérapeutique contrôlé.

- **Groupes parallèles**

Deux groupes de patients suivis en parallèle au cours d'un essai thérapeutique contrôlé, dit : « essai en deux groupes parallèles », où il existe toujours deux groupes au minimum : le groupe qui reçoit le nouveau médicament et le groupe qui reçoit le médicament de référence ou le *placebo.*

- **Groupe témoin :** *voir* **Groupe contrôle**

H

- **Hypothèse**

Concept qui n'est pas encore démontré

- **Hypothèse du biais maximum**

Hypothèse dans laquelle on choisit de se situer, au moment de l'analyse, dans la situation la plus défavorable, pour arriver à conclure à une différence.

- **Hypothèses d'un test statistique**

En pratique, pour les tests statistiques, on utilise une hypothèse nulle (pas de différence) et une hypothèse alternative (présence d'une différence). Le test statistique est construit dans le but de rejeter l'hypothèse nulle, avec une certaine probabilité d'erreur.

I

• **Incidence (taux d')**
Fréquence des cas nouveaux dans une période de temps donnée.

• **Inclusion (critères d')**
Ensemble de critères qui définissent de façon précise les caractéristiques des patients qui peuvent entrer dans une étude.

• **Indépendance**
Neutralité d'un événement A sur un événement B : deux événements sont indépendants si l'issue de l'un n'influe pas sur l'issue de l'autre.

• **Inférence**
Des conclusions concernant la population étudiée sont obtenues à partir de données issues d'un échantillon aléatoire.

• **Insu**
Dans un essai thérapeutique, fait de ne pas savoir lequel des traitements est donné. *Syn.* aveugle.

• **Intention de traiter :** *voir* **Analyse en intention de traiter**

• **Interaction**
Mesure dans laquelle l'effet d'un facteur est modifié en fonction de l'action d'un ou de plusieurs facteurs.

• **Intervalle de confiance**
Fourchette de valeurs qui encadre une estimation. Quand on parle d'un intervalle de confiance à 95 %, c'est que la probabilité que la vraie valeur du paramètre estimé soit comprise dans cette fourchette est de 0,95.

L

• **Logrank (test du) :** *voir* **Survie (Comparaison de deux courbes de survie)**

- **Loi Huriet-Serusclat**

Loi relative à la protection des personnes qui se prêtent à des recherches biomédicales. Cette loi définit les conditions qui permettent d'effectuer des recherches biomédicales, en particulier la nécessité que la recherche soit menée par un médecin ayant suffisamment d'expérience, la nécessité du consentement éclairé du patient, la désignation d'un promoteur, d'un investigateur coordonnateur, et les autorisations du CPP et de l'autorité compétente. .

M

- **Médiane de survie :** *voir* Survie (Médiane de)

- **Modèle**

Représentation simplifiée d'un phénomène ou d'un processus dans un but explicatif ou prédictif.

- **Multicentrique (essai)**

Qualifie un essai ou une étude se déroulant dans plusieurs centres à la fois, pour, le plus souvent, augmenter le nombre de patients à inclure dans l'essai. Les essais multicentriques sont intéressants à réaliser lorsque la fréquence de la maladie est faible. Lors de l'analyse des résultats, il faut tenir compte de l'effet-centre (malgré un protocole commun, il est possible que les patients pris en charge diffèrent légèrement d'un centre à l'autre).

N

- **Nombre de sujets nécessaires**

Nombre de sujets qui permettra de mettre en évidence une différence minimale escomptée. Ce nombre est calculé a *priori,* il est lié au risque alpha, au risque bêta et à la différence A moyenne que l'on souhaite mettre en évidence. Le nombre de patients inclus tient compte, non seulement du nombre de sujets nécessaires, mais, en plus, des éventuels perdus de vue. Il est donc généralement supérieur au nombre de sujets nécessaires.

- **Non-inclusion (critères de)**

Liste de critères faisant que les patients ne peuvent pas être inclus dans une étude ou un essai.

O

- **Observance**

Capacité des patients à prendre leur traitement conformément à ce qui est décrit dans le protocole. Il peut être nécessaire de s'en assurer en demandant au patient de ramener les boîtes vides, ou par des mesures de marqueurs biologiques dans le sang ou les urines.

- **Observateur aveugle**

Dans un essai thérapeutique, investigateur tiers qui dans un but d'objectivité ne connaît pas le traitement reçu par le patient et qui mesure le critère de jugement.

- **Odds** *cote*

Cote (de probabilité), utilisé dans les jeux et les paris. C'est un ratio dans lequel le numérateur contient le nombre de fois où un événement survient, et le dénominateur inclut le nombre de fois où l'événement ne survient pas.

- **Odds ratio** *rapport de cotes*

Rapport de deux *odds* : celui estimé chez les exposés sur celui estimé chez les non exposés.

	Malades (M+)	Non malades (M-)	
Test positif (T+)	Vrais positifs (VP)	Faux positifs (FP)	Nb T+
Test négatif (T-)	Faux négatifs (FN)	Vrais négatifs (VN)	Nb T-
	Nb M+	Nb M-	

Le rapport $(a \times d) / (b \times c)$ *odds ratio* (OR).

Si la prévalence est faible, OR est un bon estimateur du risque relatif RR.

La valeur de l'OR doit s'interpréter avec son intervalle de confiance ou la valeur du test du Chi-2 calculée sur le tableau.

P

• **p** : *voir* **Degré de signification.**
Syn. « petit p », *p value*

• **Perdu de vue**
Patient qui n'est pas suivi sur la totalité de la période prévue par le protocole d'un essai ou d'une étude épidémiologique. On ne sait pas si le patient a guéri, s'il a eu une complication ou des effets secondaires, et pourquoi il n'est pas revenu.

• **Population**
Ensemble d'unités, le plus souvent des personnes définies sur des critères précis.

• **Population-cible**
Population à laquelle les résultats d'une étude pourront *a priori* être étendus.

• **Population-Source**
Population au sein de laquelle l'échantillon a été tiré.

• **Prévalence**
Nombre de personnes égal à la proportion de malades M à un instant t.

• **Prévention**
« Ensemble des mesures visant à éviter ou à réduire le nombre ou la gravité des maladies ou accidents » (OMS).

• **Prévention primaire**
Ensemble des mesures ayant pour but de lutter contre l'apparition de nouveaux cas. On diminue l'incidence.

• **Prévention secondaire**
Ensemble des mesures ayant pour but de diminuer le nombre de malades, donc, de diminuer la durée de l'état morbide. Elle vise à réduire la prévalence.

- **Prévention tertiaire**

Ensemble de mesures ayant pour but de diminuer le nombre d'incapacités et leurs conséquences sociales suite à une maladie dans une population.

- **Probabilité**

Vraisemblance de survenue d'un événement, généralement exprimée en tant que proportion entre ceux qui subissent l'événement et ceux qui courent le risque de le subir.

- **Prospectif**

Qualifie une enquête dont le suivi se fait postérieurement à l'enregistrement de l'exposition au facteur de risque.

- **Protocole**

Document planifié qui définit précisément les objectifs, les moyens et les méthodes mis en oeuvre pour y parvenir.

- **Puissance**

Dans un test statistique, probabilité de conclure à l'existence d'une différence qui existe dans la réalité. C'est le complément à un du risque bêta (1-bêta). Elle augmente avec le nombre de sujets inclus dans l'étude. Elle est fixée *a priori*. Elle peut être recalculée à la fin de l'étude, en fonction du nombre de patients qui ont effectivement participé à l'étude.

R

- **Randomisation**

Tirage au sort des patients permettant une répartition au hasard, aléatoire, des patients dans deux ou plusieurs groupes.

- **Ratio de mortalité standardisé**

Rapport entre un nombre de décès observé dans une population et le nombre de décès attendu (en se basant sur le taux de la population générale).

- **Régression linéaire**

Établissement d'une relation linéaire dans laquelle une variable de la forme $Y = aX + bZ + ...$ + constante quantitative dépend linéairement d'une (X) ou plusieurs autres variables (X et Z) (dites explicatives). On parlera

respectivement de régressions linéaires simple (une variable explicative) ou multiple (plusieurs variables).

- **Répartition aléatoire :** *voir* **Aléatoire**

- **Représentatif**
Qualifie un échantillon par rapport à un caractère, si ce caractère se distribue identiquement dans l'échantillon et dans la population dont il est issu. Un échantillon tiré au sort est représentatif, pourvu que son effectif soit suffisant (loi des grands nombres).

- **Rétrospectif**
Qualifie un intérêt pour le passé des sujets participant l'enquête. On part à la recherche du temps passé.

- **Risque**
Probabilité de survenue d'un événement.

- **Risque absolu**
Risque de survenue d'un événement (en général fâcheux : décès, maladie, complication, etc.) chez une personne donnée, pendant un intervalle de temps déterminé, en fonction de la connaissance des facteurs de risque auxquels elle est exposée.

- **Risque alpha**
Probabilité de conclure à une différence alors qu'elle n'existe pas.

- **Risque bêta**
Probabilité de ne pas conclure à une différence alors que cette différence existe.

- **Risque de deuxième espèce :** *voir* **Risque bêta**
- **Risque de première espèce :** *voir* **risque alpha**
- **Risque relatif**
C'est un indicateur qui mesure l'association entre un facteur d'exposition et un événement (survenu d'une maladie, décès, etc.)

Sur un tableau de contingence, on peut définir :

	Malades (M+)	Non malades (M-)	
Test positif (T+)	Vrais positifs (VP)	Faux positifs (FP)	Nb T+
Test négatif (T-)	Faux négatifs (FN)	Vrais négatifs (VN)	Nb T-
	Nb M+	Nb M-	

Incidence chez les exposés : I E = a / (a + b)

Incidence chez les non exposés : I NE = c / (c + d)

La quantité est appelée : « risque relatif RR ».

Les exposés ont RR fois plus de risques de développer la maladie que les non exposés. Un risque relatif supérieur à un signifie que l'exposition augmente le risque (facteur de risque), un risque inférieur à un signifie que l'exposition diminue le risque (facteur protecteur).

S

• Sensibilité

Probabilité que le test soit positif (T+) si on est malade.

	Malades (M+)	Non malades (M-)	
Test positif (T+)	Vrais positifs (VP)	Faux positifs (FP)	Nb T+
Test négatif (T-)	Faux négatifs (FN)	Vrais négatifs (VN)	Nb T-
	Nb M+	Nb M-	

Sensibilité (Se) = rapport VP / (VP + FN)

• Signification statistique

Conviction selon laquelle le résultat observé n'est pas lié au seul hasard ; elle est généralement basée sur une valeur de p inférieure à 0,05.

• Spécificité

Probabilité que le test soit négatif (T-) si on n'est pas malade.

	Malades (M+)	Non malades (M-)	
Test positif (T+)	Vrais positifs (VP)	Faux positifs (FP)	Nb T+
Test négatif (T-)	Faux négatifs (FN)	Vrais négatifs (VN)	Nb T-
	Nb M+	Nb M-	

Spécificité (Sp) = rapport VN / (VN + FP)

- **Stratification**

Répartition d'un échantillon en sous-groupes appelés strates, en fonction d'une ou plusieurs caractéristiques. Ainsi, au sein de chaque strate, les individus sont homogènes pour cette ou ces caractéristiques.

- **Sujets éligibles**

Un sujet est dit éligible dans le cadre d'une étude de recherche clinique, à partir du moment où l'ensemble de ses caractéristiques répond d'une part à l'ensemble des critères d'inclusion, et d'autre part à l'ensemble des critères de non-inclusion définis dans le protocole de l'étude.

- **Survie [Comparaison de deux courbes de survie (Test du logrank)]**

C'est le test le plus courant permettant la comparaison de deux courbes de survie.

- **Survie (Courbe de)**

Représentation graphique d'un taux de survie en fonction du temps. On rencontre principalement :

- Les courbes de survie de *Kaplan-Meier,* avec un aspect en marche d'escalier de hauteurs inégales, où chaque événement, où plusieurs événements simultanés, représentent la verticale d'une marche (la hauteur de la marche étant proportionnelle au nombre d'événements survenus) ;

- Les courbes de *survie actuarielle,* avec un aspect de courbe formée de segments de droite reliant des points situés à intervalles réguliers au cours du temps (semaines, mois, etc.).

L'utilisation de ces méthodes suppose que le risque de décès soit constant pendant toute la durée de l'étude.

La notion de survie est extensible à tout événement qualitatif binaire non récurent autre que le décès : on peut citer, en cancérologie, l'apparition d'une récidive ou l'apparition d'une métastase.

- **Survie (date d'origine)**

La date d'origine, dans une étude de survie, représente pour chaque patient sa date d'entrée dans l'étude, par exemple la date de diagnostic anatomopathologique de son cancer.

- **Survie (date des dernières nouvelles)**

La date des dernières nouvelles, dans une étude de survie, représente pour chaque patient, soit la date de survenue de l'événement (décès par exemple), soit la dernière date pour laquelle on dispose de renseignements concernant un patient en vie (si l'événement étudié est le décès)

- **Survie (délai ou temps de participation)**

Le délai de participation, dans une étude de survie, représente le délai entre la date des dernières nouvelles et la date d'origine.

- **Survie (Médiane de)**

Délai de survie pour lequel on observe une mortalité de 50 % de la population de sujets inclus dans l'étude.

- **Survie (recul)**

Le recul d'un patient, dans une étude de survie, représente le délai écoulé entre la date d'origine et la date de point. Les reculs minimum et maximum d'une série de sujets participant à une étude définissent donc «l'ancienneté» de la série.

- **Survie (sujet censuré)**

Un sujet est dit censuré à droite, dans deux situations de mécanismes différents :

- Lorsqu'il est considéré comme *perdu de vue,* si on ne connaît pas son état à la date de point, mais si on sait qu'il était encore vivant à une date antérieure, définie comme date des dernières nouvelles

- Lorsqu'il est considéré comme *exclu-vivant,* c'est-à-dire lorsqu'on dispose de son état (vivant ou mort) à une date des dernières nouvelles, postérieure à la date choisie comme date de point. Dans ce cas, sa participation à l'étude ne sera étudiée qu'entre sa date d'origine et la date de point.

- **Survie (Taux de survie à cinq ans)**

Indicateur largement utilisé en cancérologie, indiquant le taux de survie cinq ans après le diagnostic initial.

T

- **Taux**

Rapport constitué d'un numérateur représenté par le nombre d'individus porteurs d'un attribut ou vivant un événement dans une population susceptible de présenter l'attribut ou de vivre l'événement en question (en général à un moment ou durant une période donnée). Cette population constitue le dénominateur du taux.

Proportion dans laquelle le numérateur est une partie du dénominateur. Un taux est donc un nombre sans unité.

- **Taux de survie à cinq ans :** *voir* Survie (taux de survie à cinq ans)

- **Taux de survie à un temps donné :** *voir* Survie (taux de survie à un temps donné)

- **Technique d'échantillonnage**

Mode d'obtention de l'échantillon. Pour avoir un échantillon représentatif, la méthode la plus simple est le tirage au sort. La taille de l'échantillon est primordiale car elle conditionne la précision des estimations sur cet échantillon.

- **Temps de participation ou délai de survie :** *voir* Survie (délai ou temps de participation)

- **Test bilatéral**

Test statistique pour lequel on prend, comme hypothèse alternative, l'existence d'une différence, dans un sens ou l'autre.

- **Test unilatéral**

Test statistique pour lequel on prend comme hypothèse alternative l'existence d'une différence dont le sens est connu.

U

- **Unilatéral**

Test statistique pour lequel on prend comme hypothèse alternative une différence, uniquement dans un sens.

- **Univariée (analyse)**

Analyse dans laquelle on étudie l'action d'un seul facteur à la fois sur un phénomène observé.

V

- **Valeur de p**

Probabilité que la survenue d'un résultat donné ne soit due qu'au seul hasard.

- **Valeur prédictive négative**

Probabilité de n'être pas malade (M-) si le test est négatif (T-).

	Malades (M+)	Non malades (M-)	
Test positif (T+)	Vrais positifs (VP)	Faux positifs (FP)	Nb T+
Test négatif (T-)	Faux négatifs (FN)	Vrais négatifs (VN)	Nb T-
	Nb M+	Nb M-	

Valeur prédictive négative : VPN=VN/ (VN+FN)

- **Valeur prédictive positive**

Probabilité d'être malade (M+) si le test est positif (T+).

	Malades (M+)	Non malades (M-)	
Test positif (T+)	Vrais positifs (VP)	Faux positifs (FP)	Nb T+
Test négatif (T-)	Faux négatifs (FN)	Vrais négatifs (VN)	Nb T-
	Nb M+	Nb M-	

Valeur prédictive positive : VPP=VP/ (VP+FP)

- **Validité**

Capacité d'un test à donner la réponse appropriée à la question posée. Cela suppose qu'elle doit être précise et exacte.

- **Variable**

Attribut ou phénomène qui présente différentes valeurs, tel l'âge, le sexe, le nombre de cigarettes fumées...